「君、行くとこないならウチ来るか？」
「……いいん、ですか」

アドレー・ウル
セレナ・ステラレイン

シア・イグナス
ド・グァズ
ユフィール・ゼイン
クラリッサ・フォルテ

深呼吸を一つ。
目を開いて魔力を通す。
視界が澄み渡り、
瞳が淡い赤に――暁の色に変わる。
「さて先生らしく――
講義を始めようか」

絶滅騎士の魔導教室

1．訳あり最強騎士と落ちこぼれ生徒会長

世嗣

OVERLAP

目次

Zetsumetsu kishi no mado kyoshitsu

プロローグ 雨の日に拾われた少女の心を求めよ 003

講義1 再会した少女に嫌われる理由を求めよ 026

講義2 『先生』と『生徒』の関係を求めよ 055

講義3 誰からも認められる会長になる方法を求めよ 105

講義4 キミが魔導師をやめるべき理由を求めよ 175

講義5 キミに与えられる希望を求めよ 212

エピローグ 266

YOTSUGI and TEDDY presents.

illustration TEDDY

プロローグ　雨の日に拾われた少女の心を求めよ

雨は厄介ごとを運んでくる。

「参ったな、ほんとに降ってきたな」

家を出た時から天気が崩れそうだとは思っていたが、まさか帰りに狙いすましたように降るとは。

「一応傘持って来てよかったな」

眼鏡の位置を正し、食料品の入った紙袋を持ち直すと帰路に就く。強い雨は地面を濡《ぬ》らし、踏み出す足がぴしゃりと水たまりを弾《はじ》いて足を濡らした。水の冷たさに顔が歪《ゆが》むが、こればかりは仕方ない。雨なのだからこれくらいは我慢しなければ。

「ひどい天気だ」

こういう時は大抵よくないことが起こる。今までの経験的に。

だから俺は雨自体は嫌いではないが、こういう雨の日は苦手なのだ。俺が好むと好まざるにかかわらず、何かしらの厄介ごとを背負い込むことになることが多い。

うむ、やっぱ何かに巡り合わないうちにさっさと帰るに限る。

傘に跳ねる雨音を聞きながら、足早に家へと向かう。日が沈んでからそれなりの時間が経《た》っているのもあってか、人通りはほとんどない。すれ違うものと言えばどれも大したことのないものばかり。

電灯、電灯、掲示板、ゴミ箱、電灯、地面に座って膝を抱えてる女生徒、電灯、電灯。

実に代わり映えのしない……ん？

「待った。なんか今なんか変なの交じってなかったか？」

見間違えかな……越してきたばっかりで疲れてるからな……。

……。ちらっ。

「……見間違えじゃなかったかぁ～」

地面を叩《たた》く雨に紛れるように、道の脇に膝を抱えてじっとしている女の子がいた。

着ている制服は……おっと、かなりのいいとこだ。ここらじゃ知らない奴《やつ》はいないだろう。

彼女は随分長い間そうしていたのか、服も髪もすっかり濡れてしまっている。

まるで捨てられた猫みたいに、びしょぬれで、ひとりぼっち。

……あー、ったく。

「嬢ちゃん、こんなところで座り込んでると風邪ひくよ」

傘を傾けて彼女の体を打つ雨をいくらか防いでやる。だが、彼女は俺の方を見ることはなく、ただ何かに耐えるように、かたくなに膝を抱えたままだった。

ううん、困ったな。

「雨で帰れなくなったのか？　傘無いなら貸そうか？」

傘をさしたまましゃがんで、目線を合わせようとしてみるが、目の前の少女は俯《うつむ》いたまま。目線なんてとてもじゃないが合わないし、返事すらない。

「何かここに座ってなきゃいけない理由がある……って訳でもなさそうだけど。何かあったのか？」

返事はない。

「ここら辺は暗いし、人通りも少ない。いくらこの魔導都市の治安がいいからって、こんな時間の一人歩きもいただけないな」

返事はない。

「もしかして……帰りたくない？」

ぴくり、と俯く彼女の肩が揺れた。

「なんで、って聞いてもいいかな？」

「……べつに、貴方《あなた》には関係ないです」

初めて返事があった。

それは強い拒絶の言葉だった。でも鈴の音が鳴るように澄んでいて、とてもか細い。このままにしておいたら壊れてしまいそうな、そんな頼りない声だった。

「確かに関係ない。でも君もずっとこのままでいるわけにもいかないだろう。このままだと風邪をひいてしまうよ」

「……べつに、いいんです。私がどうなろうと、心配してくれる人なんていませんし」

「随分ひねくれているな。思春期の男子でももっと素直だぞ」

「よけいなお世話です」

ぷいっと彼女は俺をさらに強く拒絶するように、俯いていた顔をそっぽに向ける。子どもらしい仕草ではあるが、ほんとに頑固だなこの子。

俺がどうしたものかとほとほと困って、ずれていた眼鏡を指で押し上げようとすると、彼女がぽつりと言葉を溢《こぼ》した。

「私だって、どうしたらいいかわからないんです。このままここにいても仕方ないって。でも、帰ることも、今の私にはできないんです」

そこで初めて彼女が顔を上げて俺を見た。長い金髪は乱れ、雨を吸ってすっかり重くなり、まるでカーテンのように彼女の目を隠している。

「それとも、貴方なら教えてくれるんですか。こんな私の……小娘の体でもできることを」

自分の体を見下ろして、自嘲気味に吐き捨てられた言葉。まるで「良くないことが起こること」を望むような、そんな投げやりな態度だった。

「冗談でもそういうこと言うのはよくないぞ。特に嬢ちゃんみたいな年頃の女の子はな」

ふ、と彼女は笑う。

「なら放っておいてください。どうせ他人なんですから」

他人。

そうだな、その通りだ。俺はただの通りすがりで、この子は今初めて会った女の子。俺が世話を焼く必要なんてない。そもそも、相手が望んでないことを押し付けて何になる。

結局、俺の自己満足だ。

眼鏡の位置を正す。荷物を持ち直し立ち上がる。そして、彼女のことを忘れ家に帰ろう。

そう思った。思っていた。

けれど、全てを実行に移す前に、不意に彼女の雨に濡れた髪がずれて今まで隠れていた瞳が覗《のぞ》いた。

綺麗《きれい》な目だった。この雨に不釣り合いなほどに清く澄んだ青い瞳。まるで、雨上がりの空のように、透き通った、静かな瞳。

その瞳があまりにも綺麗だったから、思わずこの空色が、雨に濁ってしまうのがとてももったいなく思えてしまった。

「はあぁぁぁー、ほんとにさぁ」

ため息をついて、空を睨《にら》む。ホントに雨の日はロクなことがない。

でも、仕方ないか。仕方ないな。これもめぐりあわせだ。

上着を脱いで、瞳のキレイな少女にかけてやると、少し笑む。

「君、行くとこないならウチ来るか？」

「……いいん、ですか」

……どうやら、決まりらしいな。

その日、雨は俺にずぶぬれの女の子を持って来た。

まあ、どちらかというと俺が落ちてたのを拾ったのかもしれなかったが。

◆

雨の音。湯を沸かす薬缶《やかん》の音。それに混じるように、浴室から響くシャワーの音。

俺の部屋だが、今浴室にいるのは俺じゃない。まあ俺がこうしてキッチンで紅茶を淹《い》れているので当たり前なのだが。

「……連れ込んじまったな、学生を……しかも名前を知らん女の子を……」

今の状況に頭が痛くなる。

俺の提案に道端の彼女は救われたように顔を上げたが、俺の家が近づくにつれ急にもごもご言い始めた。この期に及んでどこかに行かれても寝ざめが悪いので、とりあえず雨がやむまではいろと言って風呂に叩き込んだのが十分ほど前になる。

周囲から見れば完全に事案。通報されたらワンチャン釈明の余地なく手錠である。

「まあでもやっちまったもんはしょうがないか」

全て雨が悪い。そういうことにしよう。

湯通ししていたポットに茶葉を入れて薬缶の湯を注ぎながら自分の中でそう結論付ける。

すると、ほどなくして浴室とリビングとを隔てる薄い扉ががらり、と開いた。

「あの、上がりまし、た」

ひょこり、と最大限自分の身を隠そうとするように控えめに俺の方を窺《うかが》う少女。

ちょっと心配になるくらい白かった肌も上気し、雨に濡れて重たくなっていた髪も、今では綺麗なもんである。これなら恐らく風邪をひくこともないだろう。

「ん、そうか。俺はちょっと手が離せないから、ソファにでも座ってるといい」

「……どうも。ありがとうございます」

「あ、髪乾ききってないだろう？　タオル使いたかったら使っていいから。あと濡れた服はそこ入れて自分で乾かしていいよ。俺に触れられるのは嫌だろ？」

「えと、すみません。ありがとう、ございます」

ぎこちないお礼を口にすると、彼女はえらく緊張した足取りでソファに腰かける。動きに擬音をつけたらコチコチとか、ギコギコとか、ウィーンみたいな音が鳴りそうだな。

警戒されてるなあ。

いや名前も知らない男の家にいる女子としては、これが健全か。むしろ死ぬほどリラックスしてた方がかえって不安になるわ。

「片付いてなくて悪いね。俺も最近ここに越してきたばかりでさ」

「い、いえ。あ、あのっ」

「ん？」

「あの、お着替えありがとうございます。お風呂も貸していただいて」

「ああ。サイズはどう？　新品だから汚くはないと思うけど」

「だいじょうぶです。サイズは、少し大きいですけど。このくらいなら、ぜんぜん」

俺の着ないスウェットを貸し与えたのだが、袖があまって指先しか出ていない。ズボンも裾をかなり折り曲げて引きずらないようにしているようだ。

ちょっと危ない感じだが、本人が大丈夫って言うんだしそれを信じよう。

「それに」

ん？

「それに、すぐ、脱ぐんでしょうし……」

……はあ。めんどくさ。子どもが何言ってんだ。適当に流しておこう。

「はは、脱ぐってなに？　今お風呂に入ったばかりなのに」

「いえ、その、だからそうじゃなくて、私の体で……」

「キミみたいな倒れそうな女の子に頼めそうなことはないかなぁ」

彼女は「そうじゃなくて」とかもごもご言っていたが、俺はそれ以上の掘り下げはせずに、コトリ、と彼女の前にカップを置く。

「まあ今は座ってなよ。とりあえずほい、お茶」

「え、えと……」

「雨で冷えてたから飲みたくなってさ。一人で飲むには多いし、よかったらキミも飲んでよ」

「……すみません。ありがとうございます」

「ん」

短く返事を返して、近くから椅子を引っ張ってきて腰かける。そして、自分の分のカップに口をつける。

うん、それほど衰えてないな。

「おいしい、ですね」

「はは、それはよかった。昔、知り合いにしごかれたことがあってさ」

笑いつつ、対面にいる少女をなんとなく観察する。

まるで宝石を散りばめたような金髪《ブロンド》。雨の中でもはっきりとこちらを見据えてきた、空を思わせる澄んだ青の瞳。肌はきめ細やかで、顔も非常に整っている。

きっと十人見れば十人が美しいと言い、そのうち二、三人は彼女のことを三日ほど忘れられなくなりそうな、美少女らしい美少女。少し目つきは厳しい気もするが、それは緊張しているのもあるだろう。きっと少し微笑《ほほえ》むだけで、そんな印象は吹き飛んでしまいそうだ。

だけど、今の彼女は、どことなく借りてきた猫のようだった。

「……ふ」

紅茶の入ったカップに口をつけて、彼女は小さい息を吐いた。温かい飲み物。温かい室内。すこし、気持ちは落ち着いたらしい。

彼女は手の中にある琥珀色《こはくいろ》の鏡面を、じっと見つめながら口を開いた。

「ずいぶん、慣れていらっしゃるんですね」

「と言うと？」

「私をお風呂に入れるまでが手早かったです。それに着替えを用意するのも。しかも私が上がってきたら、狙いすましたように紅茶を出してきました。私に警戒心を抱かせないように、同じソファではなく椅子を持ってきて、わざわざそちらに座られました」

ジトーっと彼女が俺に視線を向ける。

「……随分、こういった物珍しい状況に際する手際がよろしいように思いました」

まるで「だまされないぞ」と顔に書いてあるような警戒した態度。

困ったなあ。何と答えたものか。

「あー、まあ俺がここに連れて来たの、君が初めてじゃないしな――って、違う違う！たぶん君が想像してる感じじゃないから！　そんな汚いものを見るような目線はやめて！」

ええい、そうは言っても自分で納得するまでは変わるまい。確か、もうそろそろあいつが俺の部屋に来るはずなんだが……おっ、来たな。

「ほら、ちょうど来た。そこ、窓の方、見てみ」

「窓……？」

俺が指をさすと、彼女はつられるように視線を滑らせた。その視線は壁際、風を通すために少し高い位置に取り付けてある窓の方まで行くと止まる。

そこにはいつの間にやって来たのか、もごもごと動く黒く小さな影がある。

「にゃぁん」

そいつはひと鳴きすると、窓の傍《そば》に置いてあった皿の上にある餌を、かりかりと食べ始める。

「ねこ、ですか？」

「ん。先週の雨の時だったかな。怪我《けが》してたし連れ帰ったら、すっかり居座られるようになっちまった」

「だから初めてじゃない、と」

「だな。実はあの猫の前には犬も拾った。そいつは迷い犬だったから、飼い主は見つかったんだが」

「迷子を保護するのが趣味なんですか？」

「限定的すぎるでしょ、その趣味」

「なら、そういうのを探して雨の日は練り歩いて……」

「ないからね。それは普通に不審者だし……いやまあ、今の状況も、まあまあ言い逃れしようがなく不審者だけどさ」

俺は歩いているだけで、なんとなくそういうのに出会ってしまうだけだ。

あまりにもこういうのに出会ってしまうから、自然と雨の日＝厄介な拾い物をする、という方程式が自分の中で結ばれつつある。

「まあでも流石《さすが》に犬、猫と来て、人間まで拾うとは思わなかったかな」

眼鏡の位置を正しておどけたように肩をすくめてみせると、目の前の少女が目をぱちくりとしばたかせる。

「なら、あの子は先輩ですね」

「なんの？」

「居候の？」

「何、居座る気なの？」

「あ、出ていった方がいいなら今すぐ……」

「ああ、良いって良いって冗談！」

なんだ……自分で言い出した癖にいきなり申し訳なさそうにするなよな。

まだ雨は強い。今出ていったらせっかく風呂に入った意味もなくなる。というかそもそもまだ制服は乾いていないだろう。

「まあ、君一人なんて負担にもならないよ。大人しいし、それこそこの先輩と変わらない」

「にゃあん」

猫の鳴き声に合わせるように笑って見せると、彼女はこてんと首をかしげた。だがしばらくして、俺の言った意味を理解したのか、む、と僅かに頬を膨らませる。

「私はねこと同じですか」

「道端にびしょぬれで落ちてたって意味ではそうだろうね」

「私はあの子とは違います。……たぶん」

「にゃあん」

「だけどこの猫は『歓迎するぜお嬢さん』といっているようだよ。仲間だと思われてるな」

「ただの鳴き声でそんなことわからないでしょう」

「表面的ではなく心で聞くのが大事だ。世界にはただ聞くだけ、見るだけじゃわからないことが山ほどあるもんだぜ、お嬢さん」

「にゃあん」

「そういう、ものなんでしょうか」

「そういうもんだよ」

「にゃあん」

俺の言葉を肯定するように鳴いた猫に押し切られたのか、彼女は首をかしげつつ「なるほど」と呟《つぶや》いた。

なんか、ちょろい。素直なのか真面目なのかわからんな……。

それからしばらく、彼女は黙り込んで何も話さなくなってしまった。べつに俺も特段おしゃべりな方でもないため、お互いに何か言葉を発することはなくなった。故に耳に届くのは降りしきる雨の音と、彼女の制服を乾かすために動く機械の音、そしてお互いの息の音くらいのものだ。

先ほどまで餌を食べていた猫も、今では満腹になって眠くなったのか、丸くなってしまっている。

ただ、お互いに深く立ち入らないための、ガラスを隔てたような静謐《せいひつ》が、この狭い部屋を支配していた。

それは彼女の服が乾いて制服に着替えた後も、俺が買ってあった簡素なサンドイッチを出した後も、おかわりの紅茶を淹《い》れた後もしばらく続いた。

「貴方《あなた》、は」

そんな静けさを彼女が破ったのは、お互いに二つのサンドイッチを食べ終わったころだった。

「……貴方は、何も聞かないんですね」

僅かに俯《うつむ》いての言葉。宝石を散りばめたような長い金色の髪で、彼女の表情は覆い隠されてしまっている。

俺はとりあえず淹れなおした紅茶を傾けて喉を潤す。

「キミは、俺に何か聞いてほしいの？」

「……べつに、そういうわけじゃないですけど」

でも、と彼女は親に叱られた子どもが言い訳するように言葉を付け足す。

「ふつうなら私の名前とか、なんであそこにいたのかとか聞きたくなるものなんじゃないですか」

ああ、なるほど。申し訳なくなってるのか、この子は。

あっちからすれば俺は急に家にあげてくれて、風呂どころか飯も食わせてくれた大人。

その上、特に見返りは求めてない……まあ、ちょっと自分に都合がよすぎて心配にはなるか。もし俺が同じ状況だったら、まず美人局《つつもたせ》を疑うわ。

べつに子ども一人くらい気にするほどでもないが、彼女の心情的には納得できないか。

眼鏡を押し上げつつ、慎重に言葉をひとつずつ選んでいく。

「まあ、気になることがないかって聞かれたら嘘《うそ》になるな」

雨の中、濡《ぬ》れることも気にせず、一人でうずくまっている少女。

僅かに目元が赤かった。もしかしたら雨粒に混じって、他のものを流していたのかもしれない。

そこまでなるなんてよっぽどだ。きっと、彼女にとってすごく大変なことが起きたんだろう。

まあなー、なんて言うかなー。こういうのって無理に聞き出しても仕方ないんだよなー。

つーか、俺が知らん大人に根掘り葉掘り聞かれたら普通に腹立つし。

だから、まあ、なんというか。

「とりあえず肩の力抜きなよ、キミ」

「は、はい？」

目の前の少女の顔が困惑に変わる。

「キミ、典型的な真面目学生のタイプだな。学校に一人か二人はいるんだよなー」

「え、あの、私今、見ず知らずの男性の家にいて、しかも寮にも帰ろうとしてない非行学生と言いますか……」

大げさだっての。一度や二度の無断外泊くらいでピーピー騒ぐほどでもない。俺は友だちと花火見に学校抜け出して爆走したことあるぞ。

いや、名前も知らない女子学生を家に連れ込んでる、俺の方は大問題なのだが……いや、うん、これはひとまず置いておこう。

俺が言いたいのは、そういう細かいところじゃなくてさ。

「キミは今何か悩んでいるんだろうけど、一度寝て明日の自分に丸投げ、みたいなメンタルも時には必要だよ。そうしたら案外、新しい向き合い方が見えたりもする」

「……それで、絶対に改善すると、言えるんですか」

「さあね。それはキミ次第だなぁ」

「無責任ですね」

通りすがりの名前も知らない大人に何を求めているんだ。俺が言うのは心の持ちようの話で、実際にどう改善するかは別の話だ。

理想としては、自分だけで解決策を見つけることなんだろうけど、そうはいかないこともあるだろう。

「ま、だからどうしようもないのなら、適当に大人にでも頼ればいいさ。それこそキミは学生なんだから、教師なんて頼り放題じゃないか。それが仕事だ」

人間、間違いながら成長するもんだ。

そしてその間違いの中で、ゆっくり大人になっていく。そして、学校は「たくさん間違うための場所」だ。少なくとも、俺はそう思っている。

しかしそうは言っても、今すぐ明日に向かってがんばれ！　とはいかないだろう。そういうのが嫌で、この子はきっとここにいるんだろうし。

だからなんというか、とりあえずだな。

「キミがまた頑張って立ち上がれるまでは、ここにいていいよ。キミ一人なんて、猫みたいなもんだからな」

「……なんで、そこまで」

「大人だからね。子どもには無条件に甘いものなのさ」

茶化したような俺の言葉に、ふ、と彼女は薄く微笑《ほほえ》んだ。

「やさしい、んですね」

彼女は目を細めて、ぽつぽつと言葉を紡いでいく。

「こうして私を拾ってくれて。温かいものを飲ませてくれて。悩みを無理に聞き出さなくて。でも私の力になろうとはしてくれて。貴方みたいな大人、中々いませんよ」

そこまで言って、彼女が窓から空を見上げると、俺とあらためて向き直る。

「……だから、嫌いです。貴方みたいな大人」

それは明確な拒絶の言葉だった。

先ほどまで僅かに微笑んでいたことが嘘のような、強い感情。明らかに目の前の少女から、刃のような敵意を向けられている気がした。

「雨、やみましたね」

不意に彼女が窓の向こうの空を見上げてそう言った。

つられるように空を見上げれば、あんなにひどかった雨もすっかりやんで、空の向こうでは目を細めたくなるほどまぶしい『ふたつの月』が浮かんでいる。

「私、帰りますね。もともと、雨がやむまでってお話でしたし」

確かにそういう話で俺は彼女を家に招いた。ならば確かに、彼女が俺の家にいる道理も、理由ももうない。

彼女は玄関から靴を取ると、窓を開けて窓枠に足をかける。そして、ちらりとこちらを振り向き、また微笑んだ。

「今日は、ありがとうございました」

そして――――ぴょんっと窓から外に飛び降りた。

え、飛び降りたの!?

「え、ちょっ」

走って追いかけようとして、耳に『詠唱』が届いた。

「我に空駆ける翼を――『浮遊《フロート》』」

それは、『魔法』。

翼なき人間が、地に足をつけて生きる人間が、己の力で勝ち得た『空に生きる』ための力。かつて一人の技術者の起こした魔導革命によって、奇跡から技術に引きずり降ろされた、人の研鑽《けんさん》の証《あかし》。

「もう、会うことはないと思います」

さようなら、とそう言い残して彼女は飛んだ。

長い金の髪を澄んだ風に揺らして、まるでようやく自分のいるべき場所に帰れた小鳥のように。

「はは、マジで普通なんだな」

その光景は飛べない俺にとっては驚きだったけど、彼女のような学生にとっては当たり前なんだろう。

これは、なんつーか。

「随分、楽しそうに飛ぶんだな」

眼鏡を押し上げつつ、気づけば俺は微笑んでいた。

なぜかはわからないけど、うん。もしかしたら、さっきまで縮こまっていた彼女が、自由であることが嬉《うれ》しかったのかもしれない。

彼女は俺ともう会うことはないといった。恐らくそれは間違っていない。

名前すら知らない相手とまた会うことなんて、きっとないだろう。

だからせめて彼女の姿を覚えておこうと、煙草《たばこ》に火を点《つ》け窓枠に腰かける。

……あー、はは、これはなんとまあ。

雨の日は嫌いだけど、これがあるから雨は嫌いになれないんだよな。

「夜。雨。そして、ふたつの満月。くしくも条件はそろってたか」

誰もが寝静まる時間を切り裂いて飛ぶ、先ほどまでこの部屋にいた少女。

そして、その向こうには重なるように、二つの朧《おぼろ》な虹が浮かんでいた。

『月虹《げっこう》』

むかし知り合いが、「雨が降ったあと、月が綺麗《きれい》だったら見れるんだよ」と教えてくれた。

「一夜の泡沫《うたかた》の夢にしては、できすぎたシチュエーションだ」

しばらく俺は、重なる虹とその向こうに飛んで行った彼女をぼんやりと見送っていた。

「じゃあな、名前も知らないどこかの誰か」

でもやがて彼女の姿がすっかり見えなくなると、彼女のこれからを思って少しだけ笑って、虹に向かって紫煙を吐いた。

◆

次の日、新しい職場への出勤一日目。

「……で、ここに行けと言われたけど」

言われた通り建物を進み、言われた通り階段を上って、言われた通り廊下を進んで、なんか途中よくわからん魔方陣を踏まされたあげく、えらく豪奢《ごうしゃ》な部屋にたどり着いた。

えーと、ここでいい……のかな？　いいんだよな？

なんで職員室より先にこんな場所に行かされたのかわからないが、立ち止まっていても仕方ない。部屋に入ってみるとしよう。

「あのー、ユフィール・ゼイン学長の紹介で来たんですけど……」

扉を開けると五つの大きな机の中、その中心に一人でぽつんと座る少女が立ちあがった。

かつかつ、と靴が床を叩《たた》く音とともに彼女は俯き加減に歩み寄り、それに従うように長い髪が揺れる。その、まるで宝石を散りばめたような金の髪を。

そして、彼女は顔を上げて俺を見上げ、空を思わせる青く澄んだ瞳を開いた。

「お話は聞いています。初めまして、私はエルビス学園代表兼生徒統括委員会のセレナ・ステラレインと――」

「キミ、昨日俺に嫌いですって言った子だよな」

「な、ななな、なんで貴方がここにいるんですかッ!?」

俺と彼女の目が合い、たっぷり三秒。突如として悲鳴に似た声を上げて、彼女がシュババッと俺から離れた。

「こ、ここには新任の先生がいらっしゃると聞いていたのですが……」

「あー、うん。それが俺。今日からこの『生徒統括委員会』の顧問になりました、アドレー・ウルです」

彼女が――――今日から俺の『生徒』になったらしいセレナ・ステラレイン君が、わなわなと体を揺らした。

「まあ、ほら、キミは『もう会うことはないでしょう。キリッ』とまでやった後に気まずいだろうが」

なんていうか。とりあえず。

「あー、昨日のことはどこまで忘れてほしい？　セレナ・ステラレイン君」

「全部！　全部忘れてください！　お願いしますからぁ！」


ここは、魔導都市『アウロラ』。

科学の枠である『魔法』を研究し、『魔物』と戦うための『魔導師』を育成するための研究都市。

そんな場所で俺は、落ちこぼれの生徒会長『セレナ・ステラレイン』と出会ったのだった。

『生徒統括委員会』、略して『生徒会』。

魔導都市『アウロラ』にある五つの学校。そこから選ばれた五人の役員たちが所属する、学校を越えた生徒の支援、管理を目的とした委員会。その権力はアウロラにある十一の委員会の中でもトップ。

ある意味、魔導都市にとっての生徒会、それが『生徒統括委員会』。

中でもその委員長となれば、その権力、責任から名実ともに『生徒会長』と呼ばれるにふさわしい立場となると言えるだろう。

「生徒会長セレナ・ステラレイン君、ね」

屋上で煙草をふかしつつ、生徒の登校風景をぼんやりと眺める。

「本当にみんな飛んでるんだなぁ」

今友人と一緒に来た新入生らしき子も、箒《ほうき》に乗りながら本を読んでいる男子生徒も、寝ぼけ眼で口にパンを咥《くわ》えてやってきているあっちの女子も、みんな当たり前のように空を飛んで登校してくる。魔導都市の名に違《たが》わず、ここにいる生徒は一人の例外もなく自在に空を飛ぶ『魔導師』らしい。

「……そして、俺がそんなところで先生、なあ」

煙草をくわえて、脇に抱えていた教養科目の教科書をぱらぱらとめくる。

アウロラの学校は魔法研究が主題だから、あまり生徒に魔法以外の勉強を強いるわけではない。とはいえ、基礎的な教養がなければ社会ではやっていけない。そこで午前はクラス担任の教師が教養科目を教え、午後からは生徒が望む教師の研究室で魔法講義を受けるという仕組みになっている。

人気の先生になると、午後の魔法講義には立ち見の生徒も出るくらいになるらしいが……今の俺には縁遠い話だ。

なにせ、新学年が始まってもうすぐ一ヶ月という変な時期に赴任したせいで、ほとんどの生徒はどの研究室に入るか決めているそうなのだ。

まあそれでなくても俺は顔見知りの生徒もいないんだし、仕方ないのだが。

「いや、一人だけいるか」

俺を嫌いって言ったあの生徒会長さん。雨の中の捨て猫セレナ・ステラレイン君。

でも、嫌いって言われたことだけで顔見知りなの、マイナスはあってもプラスになることはないんだよなぁ。

「……そろそろ時間だな」

少し考え事をしていたせいでギリギリになってしまった。

まだ吸えそうな煙草の火をもったいなく思いながらもみ消し、腰を上げて教室へと向かう。

「ええと、クラスは……高等部の二年一組か」

この学年になれば担任と言っても名ばかりで、生徒の実際の面倒を見るのは研究室の先生だ。なので俺はあまり気負わずにいくとしよう。

しばらく歩いていると、受け持つクラスの名前が書かれたプレートを見つけ、俺はその教室の扉に手をかけて中に入った。

「ギリギリでゴメンね。俺は昨日からこのエルビス学園の――」

と、開けた瞬間に激しいシャッター音が俺を出迎えた。

「うおっ、まぶしっ！　うるさっ！　え、何何何!?」

なんでこんな急にカメラのシャッターとフラッシュ!?　悪魔かなんか祓《はら》いたいのか!?

光と音で五感が揺さぶられまくる俺が扉の前で立ち尽くしていると、間髪を容《い》れずとばかりに今度はマイクの群れがやって来る。

「来ました！　昨日からエルビス学園の教師として赴任されたアドレー・ウル先生です！」

「急に何!?　と言うか君は誰!?　俺は授業をしに来たんだが!?」

一番前でマイクを構える眼鏡の女子が「よくぞ聞いてくれました！」とばかりに鼻息荒く、俺に詰め寄ってくる。

「ベレッタマギアスクール報道委員会です！　エルビス学園に時期外れの新任の先生が来たという噂《うわさ》を聞いてインタビューに来ました！」

「思いっきり部外者！」

どうなっているんだ……これから授業時間だぞ。

「私たちはアウロラにおける報道を担当しています！　報道の自由は授業なんかじゃ阻めません！　ね、ライオス？」

「ウス」

後ろでカメラを構えていた巨体の男子生徒が、頷《うなず》きながら俺にカメラを寄せてきた。近いって。

「噂通り、すっごい終盤で裏切りそうな容姿してますね、アドレー先生！」

「キミ、初対面の大人に向かってよくそんなこと言えるね」

「報道委員会は、記者の主観で生徒の心に訴えかける、そんな記事を書くことこそが、ポリシーです。ね、ライオス？」

「ウス」

「一番偏向報道が起きやすいやつじゃん……」

自信満々に言わないでほしい。

「さあさあアドレー先生！　私たちのインタビューを受けていただきます！　さあ！　さあ！」

「ああもうカメラもマイクも寄せるな！　俺は授業をしなくちゃ――」

「そこまでにしてください。ベレッタマギアスクール報道委員会」

凜《りん》、とした声が教室の中から響いた。

「既に授業時間です。貴方《あなた》たちの自由のせいで他の生徒の勉学を阻害するなら、私の権限を以《も》って厳重注意を与えますよ」

「私の権限？　そういうあなたは――おっと……」

その声は扉の前で立ち尽くす俺と、迫っていた女子生徒の間を断ち切るように差し込まれ、視線を教室の中で立ちあがる『彼女』へと集めた。

「先ほどまでは授業時間外でしたから教室にいたのも許しましたが、これ以上の委員会活動は控えていただけますか」

「おやおやこれは生徒会長さん、そういえばこのクラスは貴方のクラスでしたね」

「……二度は言いません。これ以上は生徒会の権限を以って厳罰を与えることも視野に入れます」

「それはご容赦願いたい！　もっとも、今の、、、生徒会、、、にそれができる権限があるのかは疑問ですが」

「……どういう意味ですか」

「さて、どういう意味でしょう？」

報道委員会の生徒がにんまりと笑うのを、彼女は厳しい表情で見返した。

編み込まれた金髪。澄んだ青の瞳。端正な顔立ちと、きっちり上までボタンをとめた、白い制服の上からでもわかるスタイルの良さ。

眉目秀麗。文武両道……ではないらしいが、学力はかなり高いらしく、校則違反もしない非の打ちどころのない優等生。

　雨の日に、俺が拾った家に帰りたくない迷子の女の子。

「おお、ここステラレイン君のクラスだったのか、偶然だな。今日はちゃんと迷子にならずに学校来てるな」

「「──!?」」

　やあ、と手を上げて挨拶すると、それまで事の成り行きを見守っていた生徒と、報道委員会がまとめてざわっと揺れた。

「赴任初日の先生と既に顔見知り。これは事件の匂いがするな」

「あのクソ真面目な会長ちゃんに男の影ですの……？」

「待て！　まだ結論を出すには早い！　生徒会長ともなれば、事前に教師と顔を合わせるチャンスもあるかもしれない！」

「ですが、あの挨拶……やけに親しげに見えますわ！」

「えー、どうなのセレナ？　知り合いなの？」

「お堅い生徒会長のスキャンダルですか!?」

「違います！　ただあの人が生徒統括委員会の顧問と言うだけで、やましいことは──」

「こぉぉれ──はぁ！　もう聞きたいという気持ちが抑えられません！　厳罰知らいでか！」

「ああもう報道委員会！　私の話聞いてる!?」

だだだだっと報道委員会の女子生徒が戻って来て、マイクを俺へと突きつけてくる。

「実際のところどうなんですか！　そうなんですか!?　あの生徒会長とめくるめく一夜の夢を過ごしたのですか!?　スキャンダルですか!?　生徒と教師の禁断の愛ですかー!?」

質問が多い！　俺、挨拶しただけなのに妄想力がすごいな学生は！

「いや俺とステラレイン君はだな……」

「貴方は何も話さないでください！　報道委員会！　そろそろいい加減にしないと怒りますよ！」

つかつかと自分の席から前に出てきて、報道委員会を注意するセレナだが、ヒートアップした報道委員会はもう止まらない。

「これはアドレー先生の人柄にも迫らねば！　エルビス学園と言えば学校の中でも一番『魔導師』の質が高いことでも知られる学校！　どのようなところからいらっしゃったのですか？　使っている魔法制御端末《マギア》は？　得意魔法は？　元の所属は？　何をされていた魔導師なんですか？」

あー……、困ったな。何と答えたものか。ええと、そうだな、とりあえず。

「俺、魔導師じゃないから、その質問には答えられないかなぁ」

「……はい？」

◆

魔導都市『アウロラ』は、五つの学校からなる巨大な人工浮島である。

むかーしむかし、魔族にがけっぷちまで追い詰められた人類が、それを打倒するための術――『魔法』を研究するために国家を越えた研究都市として作ったのが始まり。

それから長い時間と、幾度の魔族との争いやら魔法技術革命やらを経て、今の『魔導師』の育成機関としての側面を持つ魔導都市アウロラは出来上がった。

そんな都市の中心には、天にも届こうかという高さの『シリウスの塔』があり、その最上階にある鐘楼の鐘の音で、魔導都市の人々は暮らしている。

もちろん時計なんかは個々人で持っているし、ほとんどの教室には時計が備え付けられているのだが、それでもこのシリウスの塔を不要だと言う人はいないだろう。

なにせこのシリウスの塔は、アウロラが『魔導都市』であり続けられる理由の全てだからだ。

なんでも、魔導都市《アウロラ》をすっぽりと覆う強固な結界は、あのシリウスの塔を起点に作られているらしいのだ。

細かい仕組みは不明だが、シリウスの塔が変わらずにあることこそ魔導都市が魔物に襲われる心配がないことを保証してくれる。

それ故に、シリウスの塔は魔導都市の誇りであり、平和の象徴でもあるのだ。

ちなみに最上部の一室には昨日、セレナ・ステラレイン君と再会した生徒会室があったりする。

「ここより古い建物は、王都の方にある大聖堂くらいだって言うしな」

煙草《たばこ》をふかしつつ、生徒会室から眼下の街並みを見下ろす。立ち並ぶ家と、五つの学校自治区。そして、空中をまばらに飛ぶ生徒たち。その様子を当たり前のように受け入れている住人たち。

「魔導師の街、か。まあ、俺の魔法講義に誰も来ないのは道理だな」

午後からの魔法講義には、ものの見事に誰も来なかった。自分で魔導師ではないと言ったので、当たり前なのだが。

「おかげでこうして、あの子が来る前に生徒会室で作業ができるのはいいことか」

ぱらら、と前任の先生がまとめてくれたらしい書類をめくりつつ、生徒会室を見回す。広めの教室くらいある部屋には、歴代の生徒会役員が残していったと思わしき私物や、一目で高そうとわかるティーセット他、三、四人が腰かけられそうなソファ。そして五つの机が並んでいる。

壁には役職の部分に名前の掘られたネームプレートがかけてあり……おや？

「……なんでステラレイン君の名前しかないんだ？」

ネームプレートの役職は五つ。

『会長』『副会長』『書記』『会計』『庶務』。

机も全部で五つあるから役員も五人いるはずなのだが、なぜかここにはセレナ以外の名前が見当たらない。いや、そもそもこの部屋は生徒五人が使っているにしては、生活感が無さすぎるような気がする。

「……何していらっしゃるんですか？」

不意に、背中越しに声がかかる。

俺が慌てて後ろを向くとふわり、と飛んで生徒会室にセレナが入ってくる。彼女は空に面した魔導師用の扉を閉める。そして、乱れた髪を整えると、かつかつと俺に歩み寄ってくる。

「貴方、今は魔法講義の時間のはずですが、なんで生徒会室にいるんですか。しかも、煙草を吸って。学内は原則禁煙なのですが」

「あ、いやこれはな、ステラレイン君」

ジトーっとしたセレナの視線から逃れるように煙草を携帯灰皿に突っ込むと、両手を上げて降伏のポーズ。

「ほら、いやな、俺もしばらくは研究室で待ってたんだけど、あまりにも人が来ないからさ。それなら、生徒会顧問の役割でも果たそうかなー、なんて」

しばらく俺を見ていた青色の瞳が呆《あき》れたように細められた。そして、ため息とともに俺に小言が飛んでくる。

「魔導師じゃない、なんていきなり言えばそうもなります。当たり前です」

「そうは言っても一人くらい暇人が様子見に来るだろ、普通さ」

「エルビスは真面目な学生が多いですから。それに、今の時期だとほとんどの生徒はもう研究室に所属してます」

「先生も人気商売か。世知辛いね」

「生徒会室で堂々と煙草をふかしているような、悪徳教師のところに来る生徒は相当な物好きでしょうね」

ぐうの音も出ない。

流石《さすが》に悪徳教師には物申したいが……気を抜いて生徒会室で煙草を吸っていたのは事実だ。文句など言えるはずもない。

だがそれを言うなら、セレナの方にだって問題はあるのではないだろうか。

「そういうステラレイン君こそ、なんでこんなところにいるの。今は魔法講義の時間でしょ?」

ぴくり、と彼女の身体《からだ》が揺れる。そして、やや目を泳がせながらもごもごと口の中で何事かを呟《つぶや》く。

「その、私はまだ、研究室に所属していない、と言いますか……」

「え?」

「べ、べつに何でもいいでしょう！　貴方には関係ないですから！」

「ええ……俺は先生なんだけど……」

「魔導師でもないなら先生とも言えません」

「そう言われると立つ瀬がないけどさ……」

ぴしゃりとした言葉に、またもや肩をすくめる。

そんな俺の態度にどこか非難するような瞳でセレナがジトーっと俺を睨《にら》んだ。

「そもそも、なんで魔導師でもないのにエルビス学園の教師になれたんですか？」

「うん？」

「エルビスは一応名門ですから採用試験は厳しいはずなんですけど……あ、もしかして魔導研究以外に何か功績が？」

あー、なんと言ったものかな。

顔を隠すように眼鏡をクイッと押し上げつつ、少し考え込み……まあ、変に取り繕っても仕方ないか。

「ま、『コネ』だな」

「へ？」

セレナが目を丸くした。

「うん、驚くよね。実は最近仕事辞めたばっかでね。そしたら知人から教師に誘われて。借りもあったから引き受けざるを得なくてさ……あ、学長って言ったらわかるかな。ユフィール・ゼイン学長」

「いえ、それはわかりますけど。……と言うことは、教師は本当に初めてなんですか？それにしては午前の授業はお上手でしたけど……」

「それはまあ、昔ちょっとね」

「どういう……？」

首をかしげるセレナに、俺はにやっと笑って見せる。

「おっと、ステラレイン君は俺に興味が？　いやあ照れるなあ。人に話すほどでもないんだけど……聞きたいかい？」

「ま、まさかそんな……って、私のことからかってますか」

「そう見えたなら、そうかもね」

からからと笑うと、セレナがなんだか疲れたようにため息をついた。

「権威ある生徒会顧問にコネ採用の先生が……しかも魔導師じゃないとか……前代未聞です」

よろよろとへたり込むように近くにあったソファに座るセレナ。

「あー、大丈夫？　紅茶とか淹《い》れようか？」

「これ以上貴方《あなた》に借りを作ると、私のプライドに関わるので結構です」

「なら親善の証《あかし》に、キャッチボールでもする？」

「……？　言葉のキャッチボールもできないのにですか？」

「言葉のデッドボールやめない？」

「なら、私の言葉を受け止める勇気が出てからご提案ください」

やっぱり、厳しい。

どうやら彼女にとって、魔導師でないくせに先生をやっている俺は、相当に引っかかるらしかった。

その後、セレナは『会長』というプレートのついた席に着くと、ぺらぺらと卓上の書類の確認を始める。静かに作業を続ける彼女の横顔は、まるで誰かに踏み込まれることを拒絶するようだった。

というか、見るからに俺が話しかけるのを拒否していた。俺しかこの部屋にいないからね。

が、いつまでもこうツンツンされてもやりにくい。ここは少し話しかけてみるとしよう。

「なあ、なんで魔導師になろうって思ったの？」

お、こっち向いたな。

「……急に何ですか？」

「んー、世間話？　俺としては、ステラレイン君と仲良くなりたいしさ」

「だからって魔導師についてですか」

「言葉を受け止める勇気があるなら、話しかけていいんでしょ？」

「いやそれは――」

「うん？」

セレナが何かを言いかけて、でもやがて諦めたように、あるいは面倒そうに「べつに、面白い話じゃないですよ」と口にした。

「『夜の騎士』って知ってますか？」

ぽつりと呟いて、彼女は卓上にあった本を撫《な》でた。ここから見る限りでは、本の背表紙には『ひかりのものがたり』という文字が踊っていた。

「なんだっけ、王都が出した英雄譚《たん》だっけ」

「はい。八年前の人魔大戦で『魔王』に挑んだ英雄たち。その一人です」

彼女は本の表紙に触れながら、少し表情をやわらげた。

「『虹の勇者』やその仲間である『銀雪の賢者』に対して、この『夜の騎士』の記述は驚くほど少なくて、その功績も曖昧です。他の三人と違って、使った魔法もわかりません。だから、『夜の騎士』は創作じゃないか、という人もいます」

でも、と言葉をつなぐ。

「私、この人に会ったことがあるんです。そして、命を助けてもらったんです」

「……英雄譚の人物に？」

「はい。間違いありません」

俺が問いかけたが、セレナの答えには淀《よど》みがない。

「今私がここにいるのは『夜の騎士』の、あの人のおかげです。あの人に助けられたから、私はここにいて、『魔導師』になろうって思えた」

セレナの表情は今まで見たどの時よりも柔らかい。まるで子どもが宝物を見せるように、頬を緩めて、きゅっと胸元で手を握る。

「私はあの人みたいになりたいんです。そうしたら、私が『ここにいていい』って、思える気がするから」

まるで恋する少女のようだった。いや、もしかしたらそのものなのか。彼女にとってその『夜の騎士』とやらの思い出は、本当に大切な煌《きら》めきなのだろう。

そうか、憧れか。

「そこまでして、ならなきゃいけないもんなのかね、魔導師って」

「……はい？」

「だって、泣いてたよ、あの日」

眼鏡を外して、取り出した布巾でレンズを拭きながら俺は彼女へと語り掛ける。

「あの雨の日のこと、生徒会絡みと見たけど、どうかな」

「――――っ」

この反応、どうやらあたりっぽい。

俺は眼鏡をかけ直すと、だだっ広い生徒会室の机に一人座るセレナに目を向ける。

「俺にはよくわかんないけど、辛《つら》い思いをして魔導師になって、それで『夜の騎士』とやらは喜ぶの？　せっかく大戦も終わって平和なんだ、魔法と関係ないところで生きてほしいんじゃないの」

「そんなのっ！」

がたん、と大きな音が鳴る。彼女が弾《はじ》かれるように立ち上がった音だった。

「そんなの、貴方に、関係ない……っ！」

絞り出すような低い声だった。

「……やっぱり、貴方のことは生徒会顧問としては認められません」

そして、彼女は俺を鋭く睨む。先ほどまでの目とはまるで違う、敵でも見るかのような鋭い目。

空のような青い瞳に、怒りの感情が満たされていた。

「ならどうする？」

「学長に直談判《じかだんぱん》して、貴方をクビにしてもらいます」

へえ、クビ、ね。まあ、そう簡単にはならないと思うが……さて、どうするか。

◆

「と言うわけで、私はこんな人、生徒会顧問として認められません。そもそも、生徒会室で煙草《たばこ》を吸うような人、論外です！　私は、ぜったいに、いやです！」

「そうか……セレナがそこまで言うなら仕方ない。アドレー、キミはクビだ」

「短い間でしたがお世話になりました」

「急速展開に俺だけがついていけてないなぁ!?」

あれっ!?　思ってたのと違う!?

「ユフィ、ステラレイン君、俺としては結論を出すには早いと思うんだけど……」

「いえ、結論は出ました。服装はだらしない。ネクタイはゆるゆる。校則違反の喫煙を行い、加えて魔導師でもない。これで生徒の模範たる『先生』をやろうとするのは問題があります」

「厳しくない？」

「私、貴方のこと嫌いなので。今話してることに感謝してください」

「そのレベルで俺嫌われてるの!?」

「はっはっは、これはまた随分と仲良くなったじゃないか」

俺の叫びを聞いて、それまで学長の椅子に腰かけていた女性が愉《たの》しげに笑った。

ユフィール・ゼイン。

セレナが所属するエルビス学園の学長で、魔導都市の理事会の役員の一人。簡単に言うとめちゃくちゃ偉い人。ついでに俺を採用して生徒会の顧問にしたのもこいつ。

雪のような銀色の髪に、ガラス細工のような虹色の瞳。身長は俺の肩ほどまでだが、すらりとしたスタイルは彼女が少女なのではなく「大人」であると教えるようだ。

セレナ・ステラレインが「美人になる過程の少女」であるならば、ユフィール・ゼインは「成熟した華奢《きやしや》な女性」とでも言うべきか。

そんな彼女は、わざとらしくティーカップを揺らしながら顔に薄っぺらい笑みを張り付ける。

「ふふ、いやはや、どうしたものか」

「面白がりやがって」

「まさか？　出会って数日でここまで嫌われるなんて、アドレーはファンタジスタかな？　とは思ってるけどね？」

「語るに落ちてんだよなァ。そもそも顔が笑っててんだよ」

「あは、バレた？」

俺が睨むと、またユフィは愉しそうに笑う。バレたも何も隠すつもりが感じられない。

「ユフィの頼みなんか聞くんじゃなかったよ」

「おや、ボクにたっぷり借りがあるのをお忘れかな？」

「追々返すって言ってたろ」

「そんな悠長なこと言っていたらボク貸しがあるのも忘れちゃうよ。ほら、ボク長生きだし」

「そこは気合入れて覚えていてほしいんだが？」

「いいじゃないか、キミたちの短い人生をボクのために使えるなんて幸せだろう？」

「記憶領域のひとかけらも、お前のために使いたくなくなる言葉をドーモ」

ユフィが大げさに息を吐くと、よよ、と泣き崩れる演技をする。

「なんてケチな物言い。ボクはたった八十年くらい人生を拘束させてくれとしか言ってないのにさ」

「おう、お前のクソバグ人生観で俺の人生を終わりまで束縛しようとするな」

「！　そうか……ごめん、矮小《わいしょう》な人間の価値観はまだ摑《つか》み切れなくて……」

「いつから生きてるのかもわからない女がよく言うぜ」

「秘密があるのは良い女の条件だからね。困った、これではアドレーもきっと大人の色香にメロメロだね」

「メロメロて。相変わらずちょっと言葉遣いが古いな、この偏屈長生き秘密主義者……」

「人間《キミ》たちの言葉の移り変わりが早すぎるんだよ。まったく、つい百年くらい前に覚えた言葉がすぐ古くなってしまう」

腕をまくって拳を持ちあげてみるが、ユフィはからからと愉しそうに笑うだけだった。

学長ユフィール・ゼインは美女である。それは間違いない。

ただ、彼女が美人であるかは、人によって意見が変わるだろう。

なにせ彼女には普通の人間とは違う点が一つだけある。

それは尖《とが》った耳だ。しかも主人と同じく、良く自己を主張する長いやつが。

『エルフ』

元は精霊種、けれどいつしか人に限りなく近づき、社会に溶け込んだかつての自然の触覚。数十年前まではそう珍しい存在ではなかったらしいが、次第に数を減らし、滅多に見ない種族になってしまった。

ユフィが言うには「ボクたちはあまり子孫を残すことに興味がなかった奴《やつ》が多かったの

さ」とのことだが、真実はわからない。

ただ俺にわかるのは、ユフィール・ゼインが人間に友好的なエルフであり、かつ俺の友人であるということだ。

あと俺の雇用主で、近代魔法研究の第一人者で……いやこいつの肩書きを思い出していたら日が暮れる。

「本当にお知合い、なんですね」

そんな世界にも数少ないエルフであるユフィと、憎まれ口の応酬をする俺を見て、セレナが意外そうに目を瞬かせた。

「なんだ、疑ってたのかいセレナ?」

「その、失礼ですが……この人は、魔導師でもないわけで……。そんな人が、あの『ユフィール・ゼイン』と知り合いというのは……」

「信じられない?」

無言は肯定。そういうことらしい。

ユフィが目で「説明してあげれば?」と語り掛けてくるが、これに関しては大した説明ができないんだよなぁ。

「まあ、信じがたいことだろうけど、こればっかりは昔馴染《むかしなじ》みとしか言えないんだよ、ステラレイン君」

「そう、ですか……」

どこか納得いっていない様子のセレナ。しかし、それ以外に言えないのだ。

俺たちは、ちょっとお互いに知られたくない過去を握り合っているくらいの、よくある昔馴染みだ。お互いが秘密を握り合っているからこそ、言いふらされたりはしないのだが……。

「……まあね。どうせ、ボクが握ってるのはせいぜい、アドレーが寝起きにボクのことを間違えてお母さんと呼んだことが五回はあることくらいだ」

「ユフィ？？？？」

「あっはっはっは」

俺がわしわしとユフィの肩を掴んで揺らしていると、そんな俺たちをセレナがじとーっとした目で見ているのに気がついた。

セレナ？

「……話し方、私の時とは、随分違うんですね」

「え？　あー、砕けちゃってたか。ごめんね、ステラレイン君。気を付けるよ」

「……それなら、いいですが」

なんだろう、なんかセレナがどこか面白くなさそうな感じだ。

どういう気持ちでの顔なんだ、それは。

「……さて、話を戻すけど」

ひとしきり笑ったユフィは紅茶の入ったカップをティースプーンでかき混ぜつつ、上目遣いでセレナを見つめた。

「アドレーを生徒会顧問として認めたくない、か。まあ、気持ちはわからないでもないよ。アドレーがだらしないヤニカス非魔導師であるのは事実だしね」

言い過ぎ言い過ぎ。

「では——」

「でも、ちょっと結論が性急すぎるというのは、ボクもアドレーと同意見かな」

ぎゅ、とセレナが唇を結んだ。

そんな少女に言い聞かせるようにユフィはゆっくりと語る。

「まだアドレーと出会って数日だろう？　それで人物の全てを見極めたと判断するのは些《いささ》か傲慢だね。なので、ボクはアドレーをクビにはできない」

「……」

「でもセレナがアドレーを認められないというのも、尊重されるべき意見だと思うよ」

「……つまり、ユフィール学長は何を仰《おっしゃ》られたいんですか？」

セレナに問いかけられた時、ユフィは愉しそうに、いやもう本当に愉しそうに、極上の笑みを浮かべた。

この笑顔には見覚えがある。こういう時のユフィは——

「『魔導戦』、やろうか。魔導都市《アウロラ》での揉《も》め事《ごと》は、これで解決するのがお約束だろう？」

うん、こういうロクでもない提案をしてくるのだ。

◆

そうして俺たちはユフィにエルビス学園の演習室に連れて来られた。

生徒の魔法実技や、召喚術と言ったやや危険の伴う魔法を練習するための場であり、今から俺たちが行おうとしている『魔導戦』を行うためにも使われる場所である。

「ルールは、オーソドックスな模擬戦スタイルとしようか。相手に参ったと言わせるか、気を失った方が負け。質問はあるかな？」

俺が手を挙げる。

「使っていい魔法は？　模擬戦なんだし、相手に怪我《けが》をさせない形式が普通じゃないの？」

まあ、俺にはあんまり関係ないんだけども。

「その点は大丈夫。学生はそういう魔法が使えないようにされてるから」

変に引っかかる物言いだったが、セレナも突っ込まないのでいったん流すことにした。

そのうちわかるだろう。

問題ないかな、とこちらへ目配せするユフィに、俺たちは頷《うなず》いた。

「これで私が勝ったら、貴方《あなた》には生徒会の顧問をやめてもらいます」

「キミが負けたら？」

「貴方を生徒会の顧問として認めます」

「わかった。それでいいよ」

俺が頷くと、彼女は今度は俺に手のひらサイズの機械を押し付けてきた。形としては懐中時計に似ているかもしれない。たぶん、魔法制御端末《マギア》。

「『十三式エルゼント・ブレイド』。エルビス学園で正式採用されている量産型マギアです」

軽く振ると、しゅいんと音を立てて一振りの機械の剣が現れた。反りはなく、軽い。使いやすそうだ。

「どうしてこれを俺に？」

「武器の代わりです。貴方は魔導師じゃないんでしょう？」

「いいの？」

「勘違いしないでください。私と条件が対等ではなかったと、ゴネられても困るというだけです」

ジトリ、と厳しい表情で俺を見るセレナ。どうやら相手も本気でやってくるらしい。

「双方離れて」

俺たちの話がひと段落したらしいと見たユフィは、手を広げて俺たちを下がらせる。

そしてふう、と息を吐き、ゆったりと俺とセレナ、それぞれを虹色の瞳で見つめた。

「では――――はじめ」

ユフィが手を叩《たた》いた瞬間、セレナは地を蹴り、俺から距離を取るように後ろに跳んだ。

そのまま片手を前にして呪文を唱える。

「我に空駆ける翼を――　『浮遊《フロート》』！」

すると、セレナの手首のブレスレット型の『魔法制御端末《マギア》』がキンと小さな音を立て、淡い青色の光を灯《とも》し、彼女の足元に半透明の魔法陣を作り出した。そして跳躍したセレナは自分自身を重力の鎖から解き放つように、ふわりと宙に浮かべて見せた。

「飛行魔法か。流石《さすが》だね」

「魔導戦においては、相手よりも早く空を飛ぶのは基本です！　そして――」

セレナが照準を合わせるように右手を俺へと向け、左手で支える。

「魔法陣展開《バレルオープン》――――」

青い手のひらサイズの魔法陣が、セレナの前に現れる。

砲撃《シュート》。一番手軽で、かつ汎用性の高い初級魔法。威力は高くないが、その分速射ができる。空から狙い撃ちにされたら、流石にちょっとキツイ。早めに距離を取るのが得策、ではあるが……。

「逃がしません！」

俺が距離を取ろうとするのを感じ取ったのか、セレナは魔法陣に魔力を流す。キィン、とセレナのマギアが再び淡く輝くと、魔法陣を回転させながら流した魔力を集束していく。

無意識に剣を握り、構えなおす。

俺の目の前で、魔法陣が青い光を宿しながら加速していき――――

「砲《シュー》……へみゃっ！」

——そのまま、制御できなくなった魔力が弾《はじ》けて彼女ごと吹き飛ばした。

「……はい？」

今の状況を整理。たぶん、自爆したよな、今？

だが、そんな俺の困惑を解消してくれることなく、そのまま彼女は地面にどてっと落ちた。

一応駆け寄って、セレナの様子を確認してみる。

「……きゅう」

うん、気を失ってますね、これ。

……え？　もしかしてこれで俺の勝ち？

「その通りだよ、アドレー。これで君の勝ちだ」

セレナを起こそうとしていた俺の傍《そば》に、ニコニコとそれはもう愉《たの》しそうな笑みを浮かべたユフィがやってくる。

「あの、一応聞くが、ステラレイン君は生徒会長なんだよな？　魔導都市アウロラの生徒の頂点、『生徒統括委員会』の」

「ああ、それで間違いないよ。ただし『落ちこぼれ』、だけどね」

落ちこぼれ……？

「生徒統括委員会、通称『生徒会』は、五つの学校からの代表者たち計五人で組織される。

そして、その役職はその役員たちの総当たりの『魔導戦』の実力によって選ばれる。慣例でいえば、一番強い生徒が『会長』になるね」

「……って、ことは、今まさに自爆したステラレイン君が一番強い……って、わけじゃなさそうだな」

「おや、よくわかったね」

「お前がめちゃくちゃ楽しそうだからな。そういう顔の時は、大抵ロクでもないことがおきてんだ」

「心外だな。ボクは普通に笑っているだけなのに」

からからと愉しそうにユフィは笑って、そして言葉を続ける。

「セレナはね、歴代で唯一、魔導戦で全敗したのに生徒会長なったのさ」

全敗……って、他の役員はあと四人だから、四敗か。しかも、さっきの魔法の暴発を見るに、もしかしてまともに魔法使えないんじゃ……。

「……魔導師に向いてないんじゃないの？　この子」

目の前で目を回しているセレナに半ば同情しながらそう言うと、ユフィはまた愉しそうに笑った。

「まあねえ。セレナ自身もそれでかなり思い詰めてたし、他のエルビス学園の教師にはどうしようもなかったけど――」

ふ、とユフィが虹色の瞳を細めて微笑《ほほえ》んだ。

「でも、君なら違うんじゃない、アドレー?」

「いやいや、俺に期待しすぎだって……」

「そうかな? だって君、昔は――」

「昔の話だ、昔の」

俺が言葉を切ると、ユフィは再び笑った。その笑みは、先ほどよりもずっと楽しそうで、嬉《うれ》しそうだった。

「何がそんなに面白いんだよ……」

「さあて、ね」

ユフィは子どものように笑いながら、大人が子どもにするように俺の頭を撫《な》でてくる。もっとも、身長が足りないから背伸びをして、だったけれど。

「まあ、これで君は正式に生徒会の顧問だ。君らしく、できることをやっておくれよ、少年」

……あのさあ。

「その呼び方はやめろ。あと頭も撫でるな。俺はもう子どもじゃねえよ」

「ふふ。ボクからみれば、アドレーなんてまだまだ子どもってことさ」

そう言って、悠久の時を生きるエルフ、ユフィール・ゼインは、俺をからかうように甘く微笑んで見せたのだった。

魔導戦があった数日後、俺とセレナはアウロラの入り口で、ぼんやりと人を待っていた。

「ベレッタマギアスクールの課外実習の監督ね。なるほど、外には魔物がいるから生徒だけじゃ出られないワケか。こういう課外実習って多いの？」

「そうですね」

「あー、ステラレイン君、今日の授業どうだった？　教養科目がちゃんと教えられてるか不安でさ」

「そうですね」

「……いい天気だね？」

「そうですね」

うーん、見事に受け流されている。その道の拳法家でもたじろぐレベル。

魔導戦が終わってから、常にこんな感じの態度だ。一応言葉の上では、俺が顧問となることを認めてくれた……らしいのだが、勝ち方が悪かったのだろう。

まあ、セレナの自爆だしな……俺、何もしてないしな……。むしろ、言葉の上だけでも認めてくれたあたり、律儀というか、誠実だと思う。

普通に「あんなのノーカウントです！」とか言われて、うやむやになる可能性も考えてたからな。

　そういう面でなんというか、セレナは真面目だよな。

「……なんですか」

　俺の視線に気づいたのか、セレナがジトーっと俺を睨《にら》んでくる。

「いや、特に用があるわけではないんだけど、こういう課外実習ってなんで生徒だけで出ちゃダメなのかな、と思ってさ」

「そんなこともご存じないんですか。先生なのに」

　耳に痛い。しかし、知らないものは知らないのだ。

「……はあ。生徒のマギアには通常はリミッターがかけてあって、自動的に生徒同士で魔導戦をするのに最適な威力に調整してくれているんです。ですが、魔物を相手にするには威力が足りませんから……」

「なるほど。それでリミッター解除の権限を持つ先生がいる、ということか」

「そういうことです」

　視線が痛い。とりあえず何かを話して気を紛らわせよう。

「あー、ステラレイン君さ。ベレッタマギアスクールに友だちとかいる？　俺は先日の報道委員会の子たちくらいしか知らないんだけど」

「あの人たちは特に問題児ですから、あれを基準にしないことをお勧めします」

　あ、やっぱりそうなんだ。

「友だちではありませんが、知り合いなら、一人」

「へえ、それって……」

「あ、そこにいるの、生徒会の方ですかっ!?」

呼ぶ声に振り返ると、何人かの生徒がこちらにやってきているのが見えた。

その中の一人、桃色のおさげの少女は俺たちに気づいてこちらに走ってくると、ぺこーっと元気よく頭を下げる。

しゃん、とセレナが背筋を伸ばし、胸を張った。

「ベレッタマギアスクール二年生のエルシア・セブンスさんですね。今日のリーダーは貴方《あなた》で間違いなかったでしょうか」

「はい！　だいじょーぶです！　今日はよろしくお願いします！　生徒会さん！」

「はい、こちらこそよろしくお願いします」

彼女はセレナに挨拶を返されると、頭を上げてにこっと人懐っこい笑顔を浮かべた。

だが、ふと横にいる俺の存在に気づくと目を輝かせ、ずいっと俺に一歩近寄って来る。

「あ！　あなたエルビスに来たっていう新任の先生ですよね！」

「おっと、俺を知ってるの？」

まだエルビス学園の中でも俺の顔を知らない子もいるのに。

なんというか、ちょっと嬉しいな。

「はい！　だって報道委員会の新聞で『新任の先生は魔導師にあらず！　ユフィール学長

のコネで入った超ド級のダメ大人!』って書いてあったのを読みましたから!」

「今すぐその情報を忘れて、君はもう二度と報道委員会の新聞を読むな」

「で、でもあれは私の愛読紙なんですよ?」

「うん、君はもっと知性につながる本を読んだ方がいい」

「恥性につながる!? 私に何を読ませようというんですか!?」

「君が何を読もうとしてるの?」

口をとがらせて、自分を抱くようにするエルシア。学生らしく脳内ピンクだな、この子。元気だなあ。

「んんっ。あの……」

軽い咳払《せきばら》いの音に、エルシアと俺の視線がセレナに集まる。

「すみません。時間もないので、実習内容を確認させていただきたいのですが、構いませんか?」

「あっ、すみません! お願いします!」

セレナは手に持っていたファイルから書類を取り出すと、その内容を復唱していく。

「試作魔法制御端末《マギア》の魔物に対する課外実習。私たち生徒会の役目はその監督。間違いありませんか?」

「はい問題ありません! ばっちりです!」

「良かったです。あと、依頼者の欄に名前がなかったのですが、こちらはエルシアさんで間違いありませんか？」

「あ、いえそれは違います。私はあくまでもテスターで、依頼者は──」

「依頼者はわたし。久しぶり、セレナ・ステラレイン」

不意に、俺たちの背後から高い声が聞こえた。

白百合《しらゆり》のような少女だった。

どこまでも白い髪と、たっぷりと太陽の光を受けた草木のような緑の瞳。俺の胸元ほどの小さな体躯《たいく》に瞳と同じ緑のケープを纏《まと》い、膝丈ほどのスカートと一緒に揺らしている。

可愛《かわい》らしい、という表現がぴったりくる少女。

そして、彼女は串にぶっ刺されたケバブを丸かじりしながらこちらに歩いてきた。

なんで？

それも木串とか売るためのものじゃなくて、出店で回してある、でかいやつ。

何食ってんだこの子。その小さい体のどこに入るんだよそれ。

「あっ、しーちゃーん！　もー、遅いからどこ行ったのかと思ったよ！」

「モフモフモフ、もぐもふふ」

「食べながらだとわかんないって！」

「ん」

白百合はエルシアに注意されると、名残惜しそうに最後にケバブを一口頬張ると、自分の手首に串をぶつけて手元から消した。

え、消えた？

「……転移魔法です。彼女の、得意魔法ですから」

俺の疑問に答えるように隣のセレナが厳しい顔で呟《つぶや》いた。

「もう、しーちゃんこういうの多いよ」

「ん。来る途中にケバブの出店があったから店ごと買い取って、お肉もらった」

「もー、相変わらず自由なんだから。時間はちゃんと守った方がいいと私は思うのです」

「記録・時間は守る。重要」

「記録じゃなくてぇ～……あ、すみません会長さん！　依頼の件なんですけど、私ではなくて、こちらのしーちゃん……じゃなくて、シア・イグナスさんからの依頼でして」

シア・イグナスっていうのか、このちっちゃいケバブ娘。

「ん……よろしく」

「あ、どうもこれは丁寧に」

「……ん、いい手」

「そりゃどうも？」

ケバブ娘改め、シアは小さな手を差し出してきた。

断る理由もないので握手で応じると、シアは何が面白かったのか満足そうにふんす、と鼻を鳴らした。そして、今度は俺の隣のセレナに視線を向ける。

無表情に近いシアに対し、セレナは先ほどからずっと何かに耐えるように難しい表情を浮かべている。

「ベレッタマギアスクールのシア・イグナス……そう、でしたか」

「ん。わたしがいたら不満？」

「……いえ。生徒会である以上、すべての生徒は等しく扱います」

「ん。ならいい。エルシア、いこ」

「え、ちょっと、しーちゃん！　あ、私たちは準備して先導しますからお二人は後からついて来てください！　魔物と戦う場所は事前に通達していた通りですので！」

準備をしている生徒の方へと向かうシアを追うように、頭を一度下げたエルシアが走っていく。

「……こんな形で、また会うなんて」

「ステラレイン君？」

「いえ、なんでもありません。先生、行きましょう」

セレナの顔はいつの間にか、普段と変わらない静かなものへと変わっていた。だが、その表情には僅かに硬さが残ったままだ。

どうやらシア・イグナスと何かあったらしいが……これは、つまりそういう事なのかなぁ。

◆

魔導師とは『魔物』と戦うための存在である。

空を飛び、己の魔力を魔法制御端末《マギア》を通して魔法へと変えて、秩序を維持し、人を守る。

それが魔導師に求められることであり、魔導師の全てだ。

では『魔物』とは何なのか。

これはざっくりというならば、『生存本能を持たない生命』という定義づけがされている。すべての生物は絶対原則として子孫または同種を増やすことを遺伝子に植え付けられている。

けれど『魔物』はその絶対原則に当てはまらない。

人間の感情の淀《よど》み、あるいは魔族の権能。そうしたものから生まれた魔物は、全ての人間を憎んでいる。

故に魔物は人命を奪い、人間社会そのものを破壊する。

そして、そんな魔物を支配し、魔族を率いて人類すべてに戦争を挑んだのが『魔王』。

八年前に終わった、人魔大戦のすべての元凶である。

まあ、魔王がいない今は魔物なんて本能に従って暴れるだけだから、こうして生徒たちが腕試しに狩れたりもできるんだけども。

「加速《アクセル》――切断《スラッシュ》！」

魔物の脇を桃色の疾風が駆け抜けた。

「魔法陣展開《バレルオープン》」

空を飛ぶエルシアは、大きなトカゲのような魔物の腹を切り裂くと、魔物が反撃をしてくる前に空へと逃げる。そして空中で手にした武器を剣から銃へと変形させた。

魔物と距離を取った彼女は空で銃型の魔法制御端末《マギア》を構え、銃口の前に魔法陣を展開する。

「――貫通弾《ラピッド》！」

エルシアが引き金を引くと、起動句《トリガーワード》に従って魔力の弾丸が射出され、五メートルほど離れたところにいる小竜型の魔物であるグレイドラゴンの腹に当たった。

「ギュアアアアッ！」

「一斉掃射！」

叫び声を上げる魔物をその場にとどめるように、空から数人による魔法の連打が叩《たた》き込まれる。絶え間ない攻撃魔法に灰色の鱗《うろこ》の一部が弾《はじ》けて飛んでいく。

「――ア、アアアアアッ！」

だが中級の魔物ともなれば、その程度で怯《ひる》むことはない。瞬時に口の中に溜《た》めた魔力を炎へと変えて、空で飛び回る魔導師たちを撃ち落とそうとする。

「エルシア先輩！　防御《シールド》お願いします！」

「まっかせてー！　防御《シールド》！」

エルシアが手をかざすと魔法陣が空中に現れ、小竜の炎のブレスを危なげなく防いで見せる。そしてその隙に、エルシアの背後にいた生徒たちは、飛行魔法で魔物の後ろに回り込むと魔法を連射する。

「よし、いい感じだよ、しーちゃん！」

「記録・要射角調整。魔法陣展開《バレルオープン》に若干のラグ。エルシア、次は長距離射撃モードに変形させた後、みんなと編隊で射撃をして」

「へ、変態っ！　ど、どうしたら!?　服とか脱ぐの!?」

「変態じゃない編隊」

「変態じゃない変態？　急に哲学者にならないでほしい！」

おー、おもしろいマギアだな。数での制圧を目的とした連射型か。変形して近接にも対応できるみたいだし、あそこまでのものはプロでも中々作れないだろう。

「……すごいですね。あのグレイドラゴンにここまでやれるなんて」

戦う生徒たちを見て、セレナが呟いた。

「中級とはいえ仮にもドラゴンです。種族に共通する魔力を弾く鱗も当然持ってますし、特にあのグレイドラゴンは攻撃性が強い。口からのブレスも、中途半端な魔力障壁なら構成を分解させる性質もあります。数年前の報告では、群れとなったグレイドラゴン数体が魔導師中隊を壊滅させた、なんてものもあったはずです。今でこそありふれた魔物の一種になっていますが、甘く見ていい魔物ではないはずです」

「よくそこまでスラスラ出てくるなぁ」

グレイドラゴン一体によくもそこまで語れるもんだ。教本に載ってる範囲を超えた知識量だ。

「他の魔物のこととかも覚えてるの？」

「まあ、一応図書館にある『指定魔物災害リスト』の内容くらいは」

「え、それってあの世界中の魔物についてだらだら書いてある、五百ページくらいあるアレ？　え、覚えてるの？　すごいね」

「べつに、普通です。覚えるだけですし、このくらい誰にでもできますよ」

少し口元をもにょもにょとしていたセレナ。だが、俺の視線に気づくと、すぐにじとーっと俺を睨《にら》み、厳しい表情で手元の書類に何やら書き込み始めた。

褒めてみたけど、どうやらダメだったみたいだ。

「彼女ら、一体とはいえ中級のグレイドラゴンを一方的に攻撃してるけど、アウロラの生徒はみんなあれくらいやれるものなの？」

「……やれる生徒もいます。が、彼女たちがあそこまで戦えているのは、あのマギアが理由でしょう」

マギア……ああ、確かにな。

「使ってる魔法が初歩的なのに、やたらと火力が高いのはそれが理由か。魔力の底上げ……いや、魔法陣構築の補正とかかな？　どちらにしろ、学生なのにすごいね」

俺の言葉にセレナが少し驚いたように目を開いた。

「魔導師じゃないのに魔法のことはわかるんですね」

「あはは、これでも一応先生だからね。まあ、キミには認めてもらってる感じがしないけど……」

ちら、と隣のセレナを窺《うかが》う。すると、彼女はため息を一つついた。

「……べつに、認めてないことありません。私に、偶然とはいえ魔導戦で勝ってますし。不本意ですが、約束は約束ですから。ええ、認めてます。認めてますとも」

「めちゃくちゃ不満たらたらじゃん……。なんで俺のことそんなに嫌なのステラレイン君は……」

「色々ありますけど、とりあえず煙草《たばこ》の匂いが嫌です」

「割と効くパンチだな……。いやね、ステラレイン君、煙草は大人の気力回復を助けてくれるというか……」

「学園内には無数の生徒がおり、みんな未成年です。煙草は喫煙者が吸い込む主流煙より、副流煙の方が害は大きいとされており、それを生徒が吸い込んだ場合の被害は言うに及びませんし、そもそも学園内は禁煙です。何か言いたいことはありますか？」

「何もないです……」

ボコボコなんだが。

ならいいです、と締めくくったセレナは目を伏せて手を動かしている。

俺に手伝えることは……ないか。大人しく戦闘でも眺めておこう。

「……すごいもんだ」

中級の魔物相手に怪我《けが》一つない。本来だと、軍の魔導師が四人で当たるのが基本だ。それを学生が、たった三人でか。みんな当たり前みたいに空飛ぶから、魔物相手に危なげなく立ち回れるのもデカいな。

中でもエルシアが割といい動きをする。あれは魔法ナシでもまあまあ動ける奴《やつ》の動きだ。たぶん武術とかしてるんじゃないかな。

「けど魔法の威力補助の分、燃費と展開が遅くなってる気がするな。まあ、それは今後の課題なんだろうけど」

「……ん、よくわかったね。この距離で見てそこまで見抜くなんて」

「うおぅっ!? 誰っ!?」

俺の独り言にも似た呟きが、いつの間にか隣に来ていた少女に拾い上げられる。

「……って、シア・イグナス君か。もう、魔物の方はいいの？」

「もう取りたいデータは取れたから。それにもう終わったよ」

「終わった？」

確かに魔物はだいぶ弱ってるけど、エルシアたちの魔法じゃあともう少しかかりそうだった。

「ん……終わった。それで正しい」

す、とシアが指で銃の形を作り魔物に向けてそれを向けた。

「――魔法陣展開《バレルオープン》・七重《セプタ》」

シアの首元のネックレス型のマギアが光る。それと同時に彼女の背後に七つの魔法陣の砲門が出現する。

「砲撃《シュート》」

シアの言葉と共に七つの魔法陣が吠《ほ》える。

発動したのは初級の砲撃魔法、けれどそれが七つ重なった結果、威力は絶大。七つの緑の奔流は一つの束となり、今まさにエルシアに肉薄しようとしていた魔物の胸部を貫通して、沈黙させた。

「うっそだろ……」

この距離で……？　こんな威力の砲撃《シュート》、王都の本職の魔導師でも中々お目にかかれないぞ。

それに、今の砲撃魔法は、この前セレナが自爆したものと同じだ。同じ学生で、こんなに差があるとは。

「ん。終わり」

「最初から君が一人でやればよかったんじゃないの……」

「魔物を倒したかったわけじゃない。わたしが欲しかったのは、マギアの運用データ」

「倒すのなんかいつでもできたってこと？」

「ん」

まるで今の魔法なんて、大したことないと言うかのように淡々と答えるシア。

「すごいな、君は」

「戦闘用のマギアならあのくらいの敵はあとかたもなく消せる。これはあんまり戦闘に向いてない」

「しかも、まだ本気じゃなかったんだね……」

マギア作れて、こんだけ戦えて、何ができないんだこの子。

「……わたしからすれば、貴方《あなた》の方が面白い」

俺？

「わたしの魔法制御端末《マギア》の特性をすぐに見抜いた。なんで？」

「あー……、なんとなくというか」

「なんとなく。言葉にできない感覚的な部分ってこと？　ふうん」

じっと俺を見上げるように俺を見つめるシアは、ずいっとさらに一歩俺に近寄ってくる。

「貴方、たしかエルビスの教師。よければわたしの研究室に――」

「……こ、こほん」

小さく聞こえた咳払《せきばら》いの声が、シアと俺の視線を集めた。

「シア・イグナスさん、魔物を倒した後はしっかり事後処理までしていただきたいのですが」

ジッとシアがセレナの顔を見上げる。

「……もしかして、先生にちょっかいをかけたのが面白くなかった？」

「べつに、私はそんな人のことなんか気にしてません」

静かな言葉に、ふぅんとシアが言葉を漏らす――うおっ、なんか急に腕に抱き着かれた。

ふわりとミントのような爽やかな香りと、腕から伝わる人肌の温《ぬく》さ。なんかちっちゃい犬を抱っこした時を思い出した。

「じゃあこういうことをしても？」

「べつに。ただ風紀委員会に通報します。いえ、この場合はその人を取り締まるために職員室ですね」

「何故《なぜ》か俺が取り締まられている!?」

俺は突然抱き着かれた側であって、どちらかというと被害者なのだが。

「貴方のような人が、女子生徒と触れ合ってること自体が罪です」

「ひどいや……」

「ん。なるほど、記録・教師アドレー・ウルは存在が罪」

「要約の仕方が最悪すぎんだよ。あと何してんの」

「ん、わたしは自分のマギアに音声データを残すのが日課。だからこうして残してる。追記・セレナ・ステラレインはアドレーに対しツンデレ」

「私がその人に好意を持っているような前提で話すことはやめてください。絶対にありえませんから。絶対に」

「強調されて俺泣いちゃいそう」

だがそんな俺のことなど気にせず、シアはネックレス型のマギアに音声データを吹き込むと、満足したように小さく頷《うなず》いて、セレナに背を向ける。

「魔物の死体の処理してくる。エルシアたちだけじゃ心配だし」

淡々と、来た時のようなマイペースさで彼女はそう言い、去り際に何かを思い出したかのように振り返る。

「そう言えば、ちゃんと魔法使えるようになった？」

「――っ」

「ん。その態度ならまだみたい。まあ、がんばってね」

とん、とシアが軽く踏み込むと空へと浮かび、エルシアたちの方へ飛んでいく。

「……そんなの、貴方に言われなくたって……私は……」

もう見えないシアの方を見て、セレナがぽつりと呟《つぶや》いた。

「……」

……どうしよ、めっちゃシア・イグナスのこと聞きたい。

どう見てもセレナとシアは知り合いだ。しかもまあまあめんどくさそうな因縁がある感じの。

アウロラの学校は自由なのが売りだ。希望すれば他校の授業を受けたりもできるし、他校の友人がいるのはおかしくない。

おかしくないんだけど……あれは、何か色々あるよなぁ。やっぱ俺の考えてる通りなのかなぁ。セレナに直接聞いていいものか。

「……言いたいことがあるなら言ってください。さっきから私の顔をちらちら見過ぎです」

バレてた。

死んだ魔物を片付けているベレッタの子たちは……しばらくはかかりそうだな。なら、まあいいか。聞いてくださいって言っているのは彼女なんだし、遠慮なく聞かせてもらおう。

「シア・イグナス。彼女が、君を負かした生徒会の元『役員』の一人……で、あってる？」

「……ユフィール学長ですね」

セレナが息を吐き、腰を下ろした。

そして遠くの方でシアたちが死んだ魔物を解体するのを見ながら、垂れた髪を耳にかける。

「もう隠しても無駄ですね。そうです。私は全敗して生徒会長になった役立たず。報道委員会の言葉を借りるなら『落ちこぼれ』生徒会長、ってところでしょうか」

「落ちこぼれって、そこまで言わなくても」

「魔導師でもない貴方に負けた私ですよ？　これは卑下じゃなくて、正当な評価です。……ほんとうに、笑っちゃいます」

自嘲するように、ふ、とセレナは笑った。

「なにせ、私はこの歳《とし》になって、魔法をまともに使えないんです。どんなに努力しても、誰に教えを乞うても」

彼女の目は、先ほど見事な魔法を披露したシアの姿を追っているようだった。

「誰にも、勝てなかったんです。いや、勝負にすらならなかった。ぜんぶ負けたんです」

淡々と語るセレナが、かえって痛々しく見える。だけど、彼女は静かに語る。

「私は『生徒会長』になれる資格なんてなかった。でも何故か、魔導戦が終わった後、役員はみんな辞退して去ってしまったんです」

視線は前に、魔物から目をそらさず生徒会長としての役割を手放さない。けれど何かに耐えるように、座り込んだまま膝を抱いた。

「残ったのは『落ちこぼれ』の私だけでした。だから、会長だって私がやるしかなかったんです」

そう言いつつ、セレナは髪を触って、ふ、と困ったように笑った。

「もし私が誰にも負けない実力があって、誰からも認められる魔導師であったなら、今の生徒会は五人全員が揃《そろ》っていたかもしれません」

「そう言い切ることは、できないんじゃないか？」

生徒会から去った理由がわからないなら、彼女だけのせいだと断じるのは早い。

もしかしたら言ってない理由があるかもしれない。ユフィだって何かしら知っていることも……あいつは言わないか。そういう奴だ。

しかし、彼女は困ったように首を振った。

「そうかもしれません。でも、そうじゃないかもしれません」

生徒会に役員が揃ったのは最初の顔合わせの一回だけ。その後、魔導戦が行われ、セレナは全敗し、そして一人になった。

今では去って行った元役員たちの真意はわからない。

でも、セレナが自分の力で生徒会長の立場を勝ち取っていたら、こうならなかったかもしれない、という言葉を否定することはできなかった。

可能性は可能性だ。しかし、セレナがそう思っているなら、それは真実にもなり得る。

「どうしたらいいんでしょうね、私は」

自分を抱くように座り込んだまま、目だけを動かしてセレナは俺を見る。

空色の瞳が揺れていた。

「……それとも、先生なら、その答えがわかったりするんですか」

「それは……」

「いえ、いいです。冗談ですから。わかってますから、もう全部遅いって」

また頬を緩めてあからさまな作り笑い。

あの日、雨に濡《ぬ》れて座り込んでいたあの女の子と同じ顔だった。

もう全ては遅いという彼女に、俺は何を言ってあげられるだろうか。『先生』の俺だからこそ、『生徒』の彼女に言ってあげられることは、なんだろうか。

「会長さーん！　こっちの方の処理終わりましたーっ！　確認お願いしまーす！」

「……終わったみたいですね。行きましょう」

すっくとセレナは立ちあがると、こちらに手をぶんぶんと振っていたエルシアのもとまで歩いていく。

「会長さん、こちらグレイドラゴンの死体です。コアは抜き取って、他の部分は焼却処理するつもりです」

「はい、それで問題ないと思います。コアに関してはカンナギ学舎の飼育委員会に頼むこともできますが」

「あ、それに関してはウチでやることになってるので！　ね、しーちゃん？」

「ん。コアも分析に使うから、こっちで回収したい」

「そうですか。では――――」

淡々と仕事を処理していくセレナに、先ほど見せた寂しそうな横顔はない。

でも、さっき話した「どうしたらいいかわからない」という言葉が、あの子の本心なんじゃないだろうか。

なら、俺は……。

「――？」

不意にセレナが、沈黙したグレイドラゴンの死体に目を向けた。

「会長さん？」

「あの、エルシアさん。何かあのグレイドラゴンの死体、変な感じがしませんか？」

「変な感じ？」

「はい。なんとなく、魔力が揺らいでいるような……」

セレナの言葉につられるようにベレッタの生徒たちも目を向ける。

――その刹那、世界が色を失った。

透き通る空も、流れる雲も、果てまで広がる草原も、隣にいるセレナも、俺自身すら色彩を失った。

全ての色はグレイドラゴンの死体――その中から現れる黒い影に吸い込まれる。

影はずるり、とグレイドラゴンの死体に手をかけて、自らの身体《からだ》を裏から引っ張り出すように引き上げる。

そして現れたソレは、外界の大気、否、魔力素《マナ》を吸い込むと、吼《ほ》える。

『――ァ、ァアアアアアグワアアッ！』

咆哮《ほうこう》と共に世界に色が戻る。

「まさか……成ったのか？」

影は大きく翼を広げると飛び上がり、俺たち人間を静かに見下ろす。

まるで夜そのものを固めたかのような黒い体と、妖しく輝く赤い瞳。禍々《まがまが》しく広げた翼、狩りではなく殺しを目的とするかのような鋭利な牙と爪。

『魔竜《ドラゴン》』

全てを憎み、遍くを破壊し、生命を否定する魔物の筆頭。先の人魔大戦においては最も多く人の命を奪った、魔王の尖兵《せんぺい》。死の具現と人からは恐怖される存在だ。

翼を持たないリザード型のグレイドラゴンとは一線を画する、正真正銘の竜。

その魔竜《ドラゴン》が、何の変哲もない中級の魔物の死体の中から現れた。

「しら、ない……あんな魔物……」

セレナがぽつりと呟く。

「グレイドラゴンは中級の魔物です。なんで、あんなのが身体の中から……いえ、それよりも、こんな魔物見たこと……」

セレナも知らないか。それなら、こいつはアウロラの生徒には完全な未知の魔物だろう。

それに、今の顕現の雰囲気からして……あれはおそらく……。

「変異個体、だね。まさか、こんなところでかち合うなんて」

「……記録・魔物の処理は手早く。変異個体になる可能性アリ」

「しーちゃん、そんなふうにのんびりはやれない、かもよ」

つつ、とエルシアの頬に汗が流れる。

「しーちゃん、あの魔物に勝てる？」

「……おそらく厳しい。万全ならともかく、今のわたしは魔力を使いすぎてる」

「だよねー……、困ったな～」

エルシアがじりじりと魔竜《ドラゴン》と距離を取る。表情こそ笑っているようだが、戦闘力の差を理解しているのか、どこかぎこちない。

だがそんな中でもシアは表情を変えずに、ふむ、と腕を組んだ。

「……セレナ・ステラレイン、あなたはあの魔物について何か知ってる？」

「……残念ですが、何も。ただ、急いで逃げるべきです。明らかにこの魔物は、私たち学生が対処できる領分を越えてます」

「それには同感。でも、魔竜《ドラゴン》相手にどう逃げる？」

「貴方《あなた》の転移魔法で、一気にアウロラの結界内まで跳べませんか？」

「無理。今のわたしの転移魔法は、一度に飛ばせるのは三人が限界」

シアとエルシアを入れたベレッタの生徒が四人。俺とセレナを合わせれば六人。定員大幅オーバーだ。

「なら、なんとかして学園まで逃げればあそこにはユフィール学長もいます。あの人なら――」

セレナとシアが素早くこれからの方針を立てるが、話せたのはそこまでだった。現れた魔物はじろりと俺たちを睥睨《へいげい》すると、口の中に魔力の炎を集束し始める。

まずいっ！

「シア！　三重でいい！　撃て！」

避けるのは間に合わない。細かな指示をする時間もない。だから手短にシアに向けて叫んだ。

曖昧な指示だったが、それでもシアは俺の言わんとすることが伝わったらしく、素早く魔法陣を展開させる。

「――魔法陣展開《バレルオープン》・四重《クアドラ》」

シアの声と共に薄緑の四つの魔法陣が展開、混ざり合うように一つの砲門へと変わりながら魔力を集束していく。

「――砲撃《シュート》！」

魔竜《ドラゴン》の灼熱《しやくねつ》の咆哮と、シアの魔力の奔流とが激突する。両者の魔力は一瞬、競り合いを見せたが、即席の魔法が魔物の頂点たる魔竜《ドラゴン》に敵《かな》うはずもなく、あっという間に押し切られた。

魔竜《ドラゴン》の火炎が、目の前を薙《な》ぎ払う。

「……あ、ぶねえ……」

なんとか、なんとか避けられた。でも、正直ギリギリだった。

シアが一瞬でも魔竜《ドラゴン》のブレスを受け止めてくれたからなんとかそこらにいた生徒と、ブレスの範囲から逃げることができた。

だけど、まずいな。思ったよりもベレッタの生徒の消耗が激しい。エルシアは大丈夫そうだが、先ほどまで他の魔物と戦っていた子たちがかなり参ってる。こいつらを一人で逃げさせるのは、かなり怖いな。

「シアは大丈夫か？」

「……ん、いちおう。でも、同じことはもうできないよ。今の無理な使い方でマギアが壊れちゃった」

言葉は涼しいものだが、見るからに消耗しているのがわかる。たぶん、無茶な魔法展開でかなりの魔力を持っていかれたはずだ。

きっとマギアがあっても、もう同じことはできなかっただろう。

「いや、一瞬でも持ちこたえられただけでも御の字だ。ありがとう」

こくり、と頷《うなず》くシアに礼を言う。この子のおかげで窮地を抜けられた。

俺たちは魔竜《ドラゴン》の攻撃を一手凌《しの》いだだけだ。状況は好転してないし、シアがマギアを失ったことを思えば、悪化してるとすらいえる。

「……しかし、ここからどうするか」

セレナ、シア、エルシア、そしてベレッタの生徒たち。合計五人。

シアの転移魔法でまとめて飛べるのは、三人までという話だから、全員シアに任せるという手は使えない。

加えて、マギアのない今では転移魔法の使用にどれだけの時間がかかるかわからない。

空を飛んで逃げるのも論外。飛ぶことに関してはドラゴンのほうが本職の魔導師以上、学生の技術じゃ的にされるだけだ。

なら、この魔竜《ドラゴン》相手にどう立ち回るべきなのか。

名も知らぬ魔竜《ドラゴン》はゆったりと地に足をつけ、俺たちを見据えながら低く唸《うな》る。俺は魔竜《ドラゴン》の視線を受け止めるように、生徒を背にして庇《かば》う。

「――――」

走って逃げるしかない、か。

でも空を飛んで火を吐く魔竜《ドラゴン》に対して、それだけで逃げ切れるはずがない。それをやるなら誰かが、囮《おとり》になる必要がある。いや、誰かじゃない。俺だ。俺が囮になってこの子たちを守る。

でも、できるのか、俺なんかが。魔導師でもない、今の俺が。守れるのか。

小さく、手が震えた。

「――――」

一瞬、俺の隣にいたセレナが息を呑《の》むような仕草を見せた。そして、目だけを動かして背後のベレッタの生徒たちを窺《うかが》う。

彼女が何かを考えていたのはほんの一瞬。しかし、その刹那で彼女は心を決めたらしく、強い瞳で俺を見つめてくる。

「ステラレイン君?」

「……このままでは全員で逃げるのは難しい……いえ、むしろ全滅する可能性の方が高いです。逃げるにしてもスピードが違いすぎます。まずは、あの魔竜《ドラゴン》が追ってこないようにする必要があります」

「それは、そうだね。でもどうする？　ステラレイン君はあの魔物を倒す方法に心当たりがある？」

「いえ。この場合は倒さなくてもいいはずです。必要なのは、逃げるための時間。そうでしょう？」

……それは、まさか。

「私が囮になります。私は落ちこぼれですが、飛行魔法の成績だけはそれなりなんです。ベレッタの生徒が逃げる時間くらいはつくれるはずです」

そう言って、ブレスレット型のマギアを取り出したセレナが微笑《ほほえ》んだ。

「……落ちこぼれの私には、こんなことしかできませんから」

「待て！」

俺はセレナの手を取って止めようとするが、もう飛行魔法を発動した彼女には届かず、伸ばした手は虚《むな》しく空を切った。

「……やさしい人ですね。ほんとに、嫌になっちゃうくらい」

彼女は困ったように目を伏せて、飛行魔法で魔竜《ドラゴン》のいる方へと飛んでいく。

「戻ってこい！」

素早く魔竜《ドラゴン》の脇を飛び抜けると、まともに使えない攻撃魔法を使って魔竜《ドラゴン》の腹部を撃った。その魔法は俺との魔導戦で見せた以上に弱いものだったが、それでも注意を引き付けることには成功した。

生徒会長が――セレナ・ステラレインが空を飛び、囮になっている。

その先にあるのは、きっと死だと知っていても。否、きっと彼女は知っているからこそ、そうした。

「――――」

一瞬、彼女が俺の方を見て、何かを言った。

けれどその言葉は、魔竜《ドラゴン》の咆哮に掻《か》き消されてしまう。俺は彼女の最後の想《おも》いすら聞き取れなかった。

◆

――ずっと誰かに、褒めてほしかった。

それがセレナ・ステラレインという少女の根っこにある気持ちだった。

あの日、突然魔物に襲われて死にかけた。父を失い、母を失い、自分の命までも失いかけた。

けれど、絶望という夜に支配されたセレナは『暁の魔法』に救われた。

正直な話、その魔法を使った人のことは何も覚えてない。目を覚ました時にはその人はもういなくなっていて、姿も声も、名前だってわからない。

だから、覚えているのは自分の絶望の夜を斬り拓《ひら》いた魔法と、その魔法の光と同じ、あたたかい暁の色の瞳だけ。

あとから王都で出版された英雄譚《たん》で、その魔法を使う人を、『夜の騎士』というのだと知った。明確にそうだと書かれていたわけではないけど、きっと間違いないと、なぜかそう思った。

冷静になれば、そんな曖昧なものだけで、よくもここまで憧れるものだと思う。少し笑えてくるくらいだ。

でも、綺麗《きれい》だった。嬉《うれ》しかった。憧れてしまった。

あんな風に誰かを助けられるような人になれたなら、こんな自分でも生きていていいんじゃないかって思える気がした。

だから、セレナ・ステラレインは『誰かを助ける人』に憧れたのだ。

『グアアアアアッ！』

「――い、っ！」

魔竜《ドラゴン》の爪がセレナの腕をかすめていった。エルビス学園の制服は優秀だから、こうした魔物の攻撃に対する耐性をある程度持っている。

しかし、威力全てを殺し切ることができず、空から叩《たた》き落されてしまう。

「はあは あ……つっ……う、うう……」

痛い。熱い。血だって出ている。

なんで、わざわざこんなことやっちゃったんだろう、とセレナは自問する。

しかし、その答えは既にわかっている。落ちこぼれの自分でも、誰からも必要とされない自分でも、誰かの役に立つと思いたかったのだ。

それができれば、自分が憧れた『夜の騎士』に近づける気がした。

でも駄目だった。努力を続けても魔法は一向に使えなくて、認めてくれる人はいなかった。教えを乞い頭を下げた先生はみんな、めんどうくさそうに「きっといつか使えるようになるよ」なんて言ってきた。

周囲の大人はセレナを遠ざけ、触れがたいものとした。無関心ゆえのやさしさを向けてきた。

続けた努力の日々は自分が、『夜の騎士』のようにはなれない、ということを突きつけてきた。

『――――』

ずしん、と魔竜《ドラゴン》が地に足をつけて、地面に伏せるセレナを見下ろした。そして空気中の魔力素《マナ》を吸い集め、口の中で魔力の炎として集束していく。

あれが開かれ炎の息吹となった時、きっとセレナは死ぬだろう。結局、最後まで『生徒会長』としての役割を果たすことはできず、昼が終わり、夜がやってくるように、セレナ・ステラレインという人間の人生は終わる。

魔法は憧れだった。でも、セレナはなりたい自分になることはできなかった。

生徒会に入れば、誰かのためになれると思った。でも、セレナは生徒会に入るべきではなかった。

　魔導師になってやりたいことがあった。でも、もう自分が何をしたいかもわからない。

「私は、どうしたら良かったんでしょうね……」

　セレナはそう口にして、最後に『あの人』への質問が口をついたことに、自分で驚いてしまった。

（可笑《おか》しいな。あんなだらしなくて、何考えてるかわからなくて、いつもへらへら笑ってて……、嫌になるくらい、やさしい人のことを思い出すなんて）

　もしかしたらこの気持ちは『嫌い』じゃないのか。もっと違う名前がある感情だったのか。

（でも、そんなもの考えても意味ないよね）

　だって、もう竜の口が開く。

『――――アアアッ！』

（ああ、これで私の人生終わりだ。ほんとうに、何も意味を生み出せなかった人生だった）

　そうして放たれた、全てを無にする炎は彼女を一瞬で――――

「――こらこら、自己犠牲なんて今日び流行《はや》らないぞ」

　――焼き尽くす前に、突如現れた人が炎を真っ二つに斬り裂いた。

「え……」

　その人をセレナは知っている。

癖のある黒い髪に、眼鏡越しに見える細い目、薄く煙草《たばこ》の香りがするワイシャツと緩められたネクタイ。

自分を『魔導師』じゃないという、学校の新任教師。

「アドレー……ウル……？」

あの日、雨の日彼女を拾った彼が――アドレー・ウルが、剣を手にしてそこにいる。

「なんでこんなところに、いえ、そうじゃなくて……」

「とりあえず距離取るぞステラレイン君！　失礼！」

「距離って、きゃあっ」

困惑するセレナの質問には取り合わず、アドレーは素早くセレナを横抱きにする。そして、自分のブレスが塞がれたことに苛立《いらだ》つ魔竜《ドラゴン》の爪の薙《な》ぎ払いを掻《か》い潜《くぐ》り、地を駆ける。

トットトト、と加速して数歩。距離を取ると、アドレーは汗を拭いつつ息を吐く。

「ふー、やっぱり、空を飛べるってそれだけで相当有利だよなぁ。こんなふうに走って逃げなくていいんだもんな」

「ちょ、あのっ、へぷっ！」

「お、かわいい声が出たな」

「貴方《あなた》のせいじゃないですか！」

ぽい、と地面に下ろされた拍子に出たセレナのうめき声にアドレーがからからと笑う。

セレナは文句を言おうとしたが、自分たちが魔竜《ドラゴン》に目をつけられていることを思い出すと、その表情を硬いものへと変える。

「貴方、どうやってここまで、というかベレッタの生徒の皆さんは」

「ベレッタの生徒たちなら、ちゃんと安全なところまで運んだよ。こうして距離が取れるなら、シアが時間かかっても、順番に転移《シフト》でアウロラまで送れるしな」

「じゃ、じゃあなんで貴方がこんなところに」

セレナがそう聞くと、アドレーが「ハア？」と心底呆《あき》れたように声を漏らす。その声音は今までセレナに見せていたものよりも、いくらか荒っぽかった。

そして、眼鏡を指で持ち上げつつ「あのねえ」とセレナに目を合わせる。

「そんなの、俺の生徒が危ないことしてるから、連れ戻しに来たに決まってるでしょ」

「連れ戻しに、私、を？」

「何を当たり前のことを……キミは俺の生徒なんだぞ」

そう言って、ちらりとセレナの様子を窺う。

いつもならしわ一つない白い制服は、今ではぼろぼろになっていた。制服の裂け目からのぞく肌に痛々しい赤い傷跡が覗《のぞ》いている。

（生徒たちを守るためにここまでやるかね）

とりあえず、アドレーはセレナの頭に手を置いてわしわしと撫《な》でた。

「わしわし」

「な、何をするんですか！　急に頭を撫でるなんてセクハラですよ！」

「いや、うん、頑張った子は褒めてやりたくなってさ」

「頑張ったって、私は――」

言いかけたセレナの頭をぽん、と叩いて黙らせる。

「いいや、よく頑張った。あの時泣いてた子が、本当に強くなった」

「何を言――え」

軽く肩を回して、アドレーは眼鏡を外してポケットに入れる。

「だから、あとは俺がやる」

アドレーはシアから借りた剣の魔法制御端末《マギア》を握り直す。

そして魔竜《ドラゴン》へと、一歩踏み出した。

まるでセレナを守るように――否、魔竜《ドラゴン》と戦うことを決めたように。

「ま、まさか戦う気なんですか!?　相手は魔物で、魔導師でなきゃ倒せない存在で――」

「あー、うん。大丈夫。ちゃんと知ってるよ。知りすぎてるくらいに」

「どういう……？」

「こいつ変異個体、『ノクス』だよ。カースとかと違ってあんま有名じゃないって言うか……まあ、ぶっちゃけ東の方でマッドな魔族がちょっと作っただけのマイナーなやつでな」

そう語るアドレーの口ぶりに気負いはない。まるで同窓会で久々に会った友人を紹介するかのような、そんな口ぶり。

『グルル……アァァァァッ！』

だが魔竜《ドラゴン》はそんなことはお構いなしに咆哮《ほうこう》し、羽ばたいた。そしてその勢いそのままに、呪詛《じゅそ》の籠った爪で目の前の人間を切り刻まんと迫る。

まともに食らえば、ミンチにされてしまいそうな一撃だ。

だが後ろには、怪我《けが》した生徒がいるせいでかわせないし、借り物のマギアは、盾ではなく剣なので武器で受け止めるのも難しい。

加えて相手は魔物の頂点『竜』である故に、並の魔法では装甲を抜けない。あまりに絶望的な状況だ。

それ故に――

「――『ハンデ』には十分すぎる」

深呼吸を一つ。目を開いて魔力を通す。

視界が澄み渡り、瞳が淡い赤に――暁の色に変わる。

「さて先生らしく――講義を始めようか」

軽く肩を回して、拳を握る。

「――強化《ブースト》。よい、しょっと！」

そしてアドレーは、素手で魔竜《ドラゴン》の爪をぶん殴った。

ズ、と大気が震えた。全長十メートル近くある巨体が、地面に足をついて、たたらを踏む。

それは異様な光景だった。

鼠《ねずみ》とライオンほども差がある人間《アドレー》と魔物が殴り合い、人間が打ち勝った。

「へ？」

アドレーの背後からセレナの気の抜けたような声が聞こえたが、そんなものを気にしている余裕はない。ぐ、と体を沈み込ませると膝を使って加速し、魔竜《ドラゴン》の腹の下まで潜り込む。

『――――！』

が、ドラゴンはそれよりも早く羽ばたいて空へと逃げようとする。

空へと逃げれば、もう一度自分のペースに戻せるはずと思ったのか、それとも魔物の頂点たる魔竜《ドラゴン》の本能がそうさせたのか。

「――拘束《チェイン》」

だが魔竜《ドラゴン》の身体《からだ》が浮かぶ直前、アドレーが指を鳴らすと、あらかじめマギアに待機させておいた拘束魔法が発動し、浮かびかけた巨体を魔力の鎖で絡めとった。アドレーは生み出した鎖の先を握ると、ニッと笑った。

「おいおい、どこに行くんだよ――っと！」

そして、そのまままぐいっと鎖を引っ張って、もう一度ドラゴンを地面に叩き落した。

『グ、オァアアアアアッ！』

地面に叩《たた》き伏せられた魔竜《ドラゴン》は、アドレーの鎖を振り払うように腕を振るう。

「と、防御《シールド》――――いや、強化《ブースト》」

アドレーは防御の魔法で受けようとしたがそれをやめ、身体強化《ブースト》で魔竜《ドラゴン》から距離を取る。押していたはずなのに、あえて一度距離を取る不合理さ。その隙を魔竜《ドラゴン》は見逃さなかった。

三度、竜は吼《ほ》える。

世界を侵す魔物として己の存在を示すように、魔力を口の中に集束し、全てを焼き尽くす炎を放とうとする。

だが、それでも、遅い。

瞳に魔力を流した今のアドレーには、黒い鱗《うろこ》の奥にある魔物の心臓ともいえるコアの位置も見えている。あれを破壊することができれば、魔物は死ぬ。そういうものだと、アドレー・ウルはずっと昔から知っている。

「ったく、随分俺の生徒をいじめて怖がらせてくれたみたいだな」

こいつのせいで自分の弱さを思い出させられた。

こいつのせいで自分ができるのは『傷つけること』だけだと思い知らされた。

そして何より、こいつのせいで生徒《セレナ》が傷ついた。

それは、こいつを斬るのに十分な理由。

「悪いが、絶望《よる》は終わりだ」

アドレーは手にした剣型のマギアを握り、構える。

「術理開廷《アクセス》――――」

足元に暁の魔法陣が展開される。

吹き荒れるように生み出された魔力が集束される。

エネルギー臨界点に至った魔力は世界を塗りつくす光と変わり、光芒《プラズマ》として剣に宿る。

「――『夜拓く白絶《レグレイズ》』ッ！」

ばき、と剣が魔竜《ドラゴン》の体を両断し、そのままコアを叩き壊した。

瞬間、あたりに絶叫が響く。

『ア、アアアアアアアァァァ――……』

「うるさっ。死ぬ時くらい静かに消えていけってんだ」

やれやれ、とアドレーが肩をすくめると手の中のマギアがスパークを起こす。

「ふー……って、うおっ、マギア壊れちゃった」

ぼしゅっと借り物のマギアが砕けてしまった。返す約束をしていたことを思い出したが、アドレーはそれを忘れることにした。

大人は時に、こうして嫌な現実から目を背けるのも大切だ。

「や、終わったよ。ステラレイン君」

飄々《ひょうひょう》とした様子でアドレーが手を上げると、セレナが呆気《あっけ》にとられたように、でも問いかけずにはいられないように口を開いた。

「魔法が、使えたんですか……いえでも、魔導師じゃないって言っていたのに……」

その質問に、アドレーが困ったように肩をすくめた。

「嘘《うそ》をついたわけじゃないんだ。でも、そういう受け取り方をされてるのがわかってても、訂正はしなかったのは、うん、事実だ」

「どういう……？」

セレナの呟《つぶや》きに、アドレーは苦笑いを浮かべつつ頭をかく。

「俺は魔導師じゃなくて、『騎士』なんだ。いや、正確にはだった、かな」

かつて、人は空を飛べなかった。

しかし、長い研鑽《けんさん》。数多《あまた》の発展。無数の人々の努力によって、人は空への翼を手に入れた。

上位の魔物は空を飛ぶ。故に、魔物と戦うことを生業とする魔導師に空を飛ぶ力は必須である。

けれど、魔導師という存在が現れるよりも前、かつては空を飛べない魔法使いもいた。

今では全ては過去のものとなった旧世代。時代に取り残された存在。

天翔《あまか》ける魔導師ではない、地を這《は》うことしかできない魔導師のなりそこない。

『魔物から人を守る』という目的を始まりにしながらも、人類の進歩とともに衰退した絶滅種。

「俺はそんな滅びた『騎士』の生き残り。カビの生えた一昔前の骨董品《こっとうひん》。それが俺だ」

困ったようにそう言って、アドレーは頭をかいた。

「じゃあ……じゃあ……」

そんな彼に、セレナは震える声で問いかける。

普段つけている眼鏡を外しているアドレーの眼《め》は、いつもよりよく見えていた。

かつてセレナが幼いころに見た、その暁の色の瞳を。

「もしかして、貴方《あなた》があの時の、私を助けてくれた……『夜の騎士』なんですか……」

セレナが体を震わせて、縋《すが》るようにそれを見上げる。迷子の子どもが大人にそうするように、縋るように。

セレナの深く澄んだ瞳の端にじわりと滴が溜《た》まり、流れ出した。

最初は堪《こら》えていたようだったが、一度あふれた涙は止まらず、頬を伝っている。

「私は、ずっと、ずっと貴方に――」

「ごめん」

「え？」

そして、アドレーはそんな彼女の言葉を遮るように頭を下げる。

「……君から『夜の騎士』の話を聞いた時、俺はもしかして、って思った。あの時、助けた子なんじゃないかって」

でも、アドレーはそれをセレナには言わなかった。いや、言えなかった。

「俺は、君が憧れるような人間じゃない。確かに俺は君を助けたけど……俺は『騎士』なんだ。時代遅れで、戦うことしかできない、絶滅した存在なんだ」

『夜の騎士』のようになりたいというセレナの姿が、アドレーには眩《まぶ》しかった。

彼女が思うような素晴らしい存在でないと、自分が一番よくわかっていたから。

それに、自分にはセレナに憧れてもらう資格なんてないと思っていた。

(だって俺には、彼女が生徒会長に相応《ふさわ》しいとは思えなかったんだ)

責任感が強すぎて、自分に厳しくて、魔法だってうまく使えない。

生徒会という居場所にいることが、セレナ自身の幸せを奪っているように思えた。

そんな彼女が魔導師を目指すことなんて、とてもじゃないが応援できなかった。

「……俺は、今でも君が生徒会長に向いているとは思えない。その道が、幸せにつながるとは思えない」

だから、すまない、とアドレーは頭を下げる。それしか今の自分がすべきことが思いつかなかった。

でも、言うべきことが一つだけ残っていた。

アドレーは膝をついてセレナと目を合わせると、彼女の涙を拭ってから薄く笑んだ。

「君は自分を落ちこぼれだと言っていた。けど、それは違うよ」

魔竜《ドラゴン》が現れた時、セレナは他の生徒たちを守るために誰よりも先に動いた。勝てるはずのない魔物だというのはわかっていたはずだ。死ぬかもしれないとも、思っていたはずだ。

それでも立ち向かおうとした。

「きっとステラレイン君は、誰かのために戦おうという『意志』を持っているんだな。それは、魔法を使う上で、何よりも必要な気持ちなんだ」

騎士は飛べない魔法使いだ。

魔導師は飛べる魔法使いだ。

違いはたったそれだけで、『人を守る』という役目は変わらない。

ならあの時、ベレッタの生徒たちを守ろうと自分の身を賭して戦おうとした彼女は、誰よりも魔導師として必要なものがあるんだと、アドレーはそう思う。

怪我したセレナの腕に治癒魔法をかけてやりながら、アドレーは語る。

「きっとキミは強くなれる。その『意志』がある限り」

「――――」

「向いてるよ、魔導師」

セレナが一瞬、言葉を失ったように黙り込んだ。そして、ふ、と僅かに頬を緩めた。

「――そんなの、はじめて言われました」

「そうか？　俺は心底そう思うんだけどな。だからさ、俺じゃなくて他の――」

「なら、貴方が教えてくれるんですか？　私の目指すべき先を」

今度はアドレーが言葉に詰まる番だった。

「え、いや俺？　なんで……」

「だって、貴方は私の『先生』なんでしょう？　悪徳でも、情けなくても……貴方は私の先生です。困ったとき時に先生を頼れって言ったのは、貴方でしょう？」

どうしようもないのなら、適当に大人にでも頼ればいいさ。

それこそキミは学生なんだから、教師なんて頼り放題じゃないか。それが仕事だ。

それは、アドレーが語った言葉。雨の日に、何の気なしに言った気休め。

それを思い出した時、思わずアドレーは吹き出してしまった。

「は、はは！　ははは、参った！　そう来たか！　はは、確かにそうだな。俺は『先生』なんだもんな」

「な、なんで笑うんですか！　私は真面目に――」

「いやわかってるけど、くく、あー、そう来たかあ」

アドレーにとっては気休めでしかない言葉だったのに、まさか自分に返ってくるなんて、思いもしなかった。

なんだかそれがたまらなく面白くて、笑いがこぼれた。

ひとしきり笑って、アドレーは再びセレナに向き直った。

セレナの空のように澄んだ青の瞳は、初めて出会ったあの雨の日から変わらない。ならばもう、あの初めて会った雨の日に、運命は決まっていたのかもしれない。

あの時は合わなかった目を、正面から見つめながらアドレーは、先生としての言葉を語る。

あの日、名前も知らなかった他人の頃では、きっと伝えられなかった言葉を。

「なあステラレイン君、キミが負けた生徒会の役員って確か四人だったよな。副会長、会計、書記、庶務で」

「え、あ、はい、そうですけど……」

急に何を、と言いたげに眉をハの字に下げるセレナ。そんな彼女にアドレーはニッと笑って見せる。

「じゃあ、俺がそいつら全員に勝てるくらいにキミを強くするよ」

「……へ？」

セレナの瞳が丸くなる。

「自分の生き方はきっといつだって、自分で決めなきゃいけないんだ。わからないことも、迷うことも、間違うことも全部人生には必要なことだ」

大人が代わりに、子どもの悩みを解決してやることはできないし、子どもの生き方を決めてやることもできない。

誰だってそうだし、アドレーとセレナだって、そうだ。

「だから俺は俺のできることで、キミが胸を張って『私は生徒会長だ』って言えるくらいに強くなる手助けをする。そして、キミが強くなっていく中で、キミ自身のやりたいことを見つければいいさ」

アドレーは飛べない騎士だ。今の時代からは取り残された骨董品で、絶滅寸前で、時代遅れの古臭い騎士。

でも、この子のためなら少し苦労してみるのも、悪くない気がする。

それが先生の役目だと、セレナに教えられた気がするから。

だからちょっとだけ頑張ってみようと、アドレーはそう決めた。

アドレーの提案に、セレナがぽつりと呟いた。

「なんで、私にやさしくしてくれるんですか」

「言ったろ？　大人は無条件に子どもに優しいもんなのさ」

それに、とアドレーが揶揄《からか》うように唇を吊《つ》り上げた。

「ステラレイン君は俺の最初の生徒だ。他に理由いるか？」

「――――ずるいひとですね」

しばらくセレナは何も言わなかった。けれどやがて、涙を拭うと微笑《ほほえ》んだ。

「私、生徒会役員から見放された落ちこぼれの生徒会長です」

「俺も時代遅れの騎士だからなあ。ちょうどいいかもな」

「そもそも本当に私なんかを強くできるんですか。私の才能の無さ、見たでしょう？」

「そこは君の努力次第だな」

「……生徒会顧問らしく、立派な人になってくれますか」

「おっと、なんか関係ない条件が付け足されている気がするな～」

視線を合わせて、どちらからともなく小さく笑った。

「……さて」

騎士は立ちあがり、まだ座り込んだままの落ちこぼれ生徒会長に手を差し出す。

「もしステラレイン君が望むなら、途中で泣き出したって君を強くするよ。泣き虫の会長さん」

泣き虫と言われて、セレナが慌ててごしごしと目を拭う。

「貴方の——先生のそういう、嫌わせてくれないところ、やっぱり嫌いです、私」

「……さよで」

そして、一瞬で強がりとわかるぐしゃぐしゃの笑顔を浮かべると、アドレーの手を取って立ち上がった。

——ここは、魔導都市『アウロラ』。

魔物と戦うための魔導師を育てるために、若き才能が集まる場所。

そんな場所で、俺を嫌う泣き虫の生徒会長を、一人前に育てること。

飛べない魔法使いが、空飛ぶ魔法使いの卵を孵《かえ》してやること。

それが、今日からの俺の仕事になった。

◆

「——元王国第一騎士団筆頭騎士アドレー・ウル」

エルビスの学長室で、一人の女がその名を呼ぶ。

「最後の騎士。かつて『灰の魔王』と戦った一団《パーティ》の一人。絶望という夜を斬る姿を人は『夜の騎士』と、死という絶望をもたらす姿を魔族は『夜叉《やしゃ》』と呼んだ」

まるで、恋する少女のように、寝所で睦言《むつごと》を囁《ささや》く女のように、熱に浮かされたように。

「戦っておくれよ、君が望むままに。それが見たくて、私は君をここに呼んだんだ」

虹色の瞳を細め、遥《はる》か遠くで感じた懐かしい魔力の揺らぎに、蠱惑的《こわくてき》に微笑んだ。

「――嗚呼《ああ》、またその光を見られるなんて。私の、私だけの英雄」

魔導都市『アウロラ』には五つの学校がある。

実用的な戦闘魔法の習得に秀でる実力主義、メドフラム魔導学院。

回復など、援護を重視する教会系の、アネモス神聖学校。

生徒が魔法制御端末《マギア》の開発を行う、ベレッタマギアスクール。

「古きに学び、新しきを解体する」を掲げる叡智《えいち》の秘匿主義、カンナギ学舎。

そして、五つの学校の中で最も「空を飛ぶこと」に重きを置く、エルビス学園。俺とセレナが属するのはこのエルビス学園である。

中等部の二年間、高等部の四年間からなる魔導都市の学校は、高等部の二年になるまでに、いずれかの教師の研究室に所属することになっている。

各学校の教師たちは、いずれもある程度専門性のある魔法を研究しており、生徒たちはそこから興味のある研究室を選んで入る、というわけだ。

人気の研究室ともなれば、百人以上の生徒がいたりするらしいのだが……悲しいかな、魔導師ではないと公言してしまった俺の研究室への希望者はゼロ。

だが、それも昨日までのこと。今では俺の研究室に、一人目の生徒がやって来た。

「……何を一人でぶつぶつ言っているんですか、先生?」

金色《ブロンド》の髪に、俺をじっと見上げる空色の瞳。『生徒統括委員会』委員長、通称生徒会長のセレナ・ステラレインである。

「いや、本当に俺の研究室に入ってくれるんだな、と」

「先生が言ったんでしょう、私を強くするって。それなら研究室に入るのが当然です」

それもそうか。魔法を教えるってなると、やっぱり午後からの魔法講義の時間が必要だし。

「ちなみに今までステラレイン君が研究室に入ってなかったのはなんでなの？　本当は一ヶ月前くらいには決めておくべきだったでしょ？」

「高等部二年になってもまともに魔法を使えない私を、受け入れてくれる研究室がなかっただけです。そんな私を育てようなんて物好き、先生以外にはいませんよ」

「そういうもん？」

「そういうものです」

おうむ返しにセレナが頷《うなず》いた。

「生徒の質は研究室の質です。生徒に優秀な子が多ければ、それだけ実践的な研究もできますし、得られるデータも多い。先生方も、利があるからやっている、という側面もあるでしょう」

「ふうん、結構ドライなんだね」

俺と彼女はそれぞれ机を挟んで昼食を食べながら、ぽつぽつと話す。俺が店で買ったバゲットなのに対して、セレナは手製の弁当みたいだった。

小さな弁当箱にはきっちりとサンドイッチが詰め込まれていて、色合いも鮮やかだ。

セレナはたまごサンドを控えめに頬張ると、口元を隠しつつもぐもぐ。こういうちょっとしたところに彼女の育ちの良さを感じる。

「ステラレイン君は学食とか行かないの？」

「行かないわけではないのですが、大抵はお弁当ですね。そもそも料理が好きなので、半分は趣味みたいなものです。まあ、お弁当となるとサンドイッチくらいしか作れないんですけど」

「まあ、ある程度時間を置いても美味《うま》いものとなるとそうなるのか」

「東洋の国アヤカのお米を使えばレパートリーは増える……らしいんですが、そういう料理には疎くて」

「ああ、あれは美味いけどこっちじゃあんま見ないよなぁ」

アヤカ出身ならともかく、見るからに王国出身のセレナには馴染《なじ》みがないのも当然か。

「そういう先生は、学食ではないのですね」

「んー、まあね。俺もあんまり金銭的余裕があるわけじゃないからなあ」

べつに料理好きなわけでもないしな。この店売りのバゲットがちょうどいいんだ。

「まあ一応夕飯くらいはつくるけど、それも適当だしなぁ」

「先生が……夕飯を……？」

「驚きすぎでしょ」

「す、すみません。ちょっと意外で……ちなみにどんなものを作るんですか？」

「ささみ肉、卵、牛乳、チーズを適当にパスタとか」

「タンパク質が多くないですか？」

「何を。素早く筋肉になる優秀な食材たちだ」

「いや、それにしても……私そのラインナップ聞いたら、人体錬成でもするのかと疑ってしまいそうなんですが……」

セレナがうーんと唸《うな》る。

「なんか、先生の食生活が一気に心配になってきました……」

「男の一人暮らしなんてこんなもんだよ」

「だとしても……いっそのこと今度私が昼食を……いやでもそれは流石《さすが》にかな……」

ぶつぶつと呟《つぶや》くセレナを尻目に、俺はバゲットを一口齧《かじ》る。几帳面《きちょうめん》だなぁ、この子は。

……それにしても、こう、なんかソワソワするな。

「先生？　どうかされましたか？」

心の動きが態度にも出ていたのか、俺の様子に小さく首をかしげるセレナ。その動きに従うように、金髪がさらと揺れた。

「あー、いや、大したことじゃないんだけど。その、『先生』ってやつ、少しくすぐったいなって思ってね。ステラレイン君に認めてもらったって感じがして」

「べ、べつにふつうのことでしょう、先生を先生と呼ぶなんて」

「まあそうなんだけどさ。その普通になれたことが嬉《うれ》しい、みたいな？」

なんかセレナが凄《すご》い顔している。こう、なんかくすぐったそうな、苦虫をかみつぶしているみたいな。

「ステラレイン君、どうかした？」

「べつにどうもしません。変な勘繰りはよしてください」

さよで。

その後、それぞれ食事が終わったあたりで、シリウスの塔の鐘の音が午後の魔法講義の時間を知らせてくれた。

「それで、講義っていったい何から始めるんですか？　何か方針はあるんですか？」

ううん、そうだなあ。

頭をかきつつ、自分の研究室を見回す。簡素な机と椅子。申し訳程度の書籍と、まだ真新しい黒板。がらんとしたこの部屋に俺たちの声はよく響いている。

「うーん、まずはステラレイン君の実力から確認してもいいかな？」

「私が落ちこぼれなことは知っていると思いますが……」

「でも、具体的にどのくらい苦手としているのかは俺も把握してないしさ。射撃魔法は……まあ、駄目なのは知ってるけど、ステラレイン君の思いもよらないところに才能があるかもしれないじゃないか」

「私に才能、ですか？」

「うん。何事もやってみないとわからないだろ？」

「それはそうかもしれませんが……」

魔法と言うのは基本的には適性があるもんだ。足が速いとか、頭がいいとか、そういう個性みたいな適性が。

魔力を使って対象を強化する『強化《ブースト》』。

固形化した魔力を射出する『射撃《ショット》』。

魔力を光の奔流として放つ『砲撃《シュート》』。

相手の身体《からだ》を癒したり、盾などの障壁を作ったりする『支援』。

転移や加速、幻影などの『補助』。

魔力に形を与え、その属性に指向性を与える『変化』。

現代の魔法は基本的にはこの六つに分類され、生まれついての適性と、その育成環境で得意な魔法はそれぞれ違ってくる。

基本的には全てに適性があるなんてことはなく、だいたい二、三分野に適性があることが多い。十ある才能の数字を三ずつ割り振ってる……みたいな感じ。

だから詳しく調べてみれば、セレナにはまだ現れていなかった才能があるかもしれないと思ったのだ。

その後、あまり乗り気ではないセレナをなだめすかして、研究室の中で軽く魔法を使ってみることに。

　まずは強化。

「強化《ブースト》」

　魔力で作った剣を強化してもらったが、振り回したら折れた。飴《あめ》細工みたいだった。

「射撃《ショット》！」

　的にまで届かない、なんかやわやわした弾丸が出た。

「砲撃《シュート》！」

　これは今までで一番マシで、いちおう光線っぽいのが出た。それも途中で消えてしまったが。

「防御《シールド》！」

　殴ったら普通に砕ける盾だった。儚《はかな》い。

「転移《シフト》！」

　まったく体は動かなかった。

「炎化《フレイム》！」

　マッチみたいな火が生まれた。戦闘じゃとても使えそうにない。

　その後も色々試していったが……セレナはものの見事に、そのすべてで、素晴らしい才能を披露してくれた。

　……主にマイナス面に。

「わざわざ才能がないことを再確認させてくれた、ひどい大人に対して抗議をしています」

「えーと、それはどういう表情？」

ジトーっとセレナが俺を睨《にら》む。

「……」

そんなこと言われましても、必要だったんだよ。

「それに、浮遊《フロート》はかなり良かったよ？　ユフィに聞いたけど、飛行実技の成績は学園でも上位なんだろ？」

「ここじゃみんな飛べて当たり前です。なんの自慢にもなりませんよ」

「俺としてはすごいと思うんだけどなぁ」

「他人に誇れる成績だったなら、私もここまで面倒くさくこじらせてません」

こじらせてる自覚はあったんだな。

「先生、なにか？」

「おっと、何もないよ、何も」

はあ、とセレナがため息をつき、俺をまた睨む。

「この加虐趣味者」

「人聞きが悪すぎる」

俺はぽりぽりと頭をかくと、眼鏡を押し上げた。

「まあ、とりあえず講義を始めようか」

チョークを手に取ると、真新しい黒板に文字を走らせる。

「魔法ってのがそもそもどういうものか、ステラレイン君は理解してる？」

「魔族や魔物と戦うために生み出された技術。基本的には、人が自然と取り込む、大気の希薄な魔力素《マナ》を、魔法陣という術式の形で安定化させ、望む現象を引き起こす技術を指します」

俺の質問にセレナはすらりと答えた。教科書を正確に暗記したかのような、打てば響くよう理想的な回答。

「うん、百点だ。流石だね」

「べつに、これくらいは普通です」

そう答えながらもセレナは唇をもにょもにょしている。あまり褒められ慣れてないのかどこかくすぐったそうだ。

ツンツンしていてもまだ子どもだな、と思いながら答えを黒板に書いていく。

「魔力ってのは本来人間には扱いきれないエネルギーだった。魔物や魔族は息をするように扱うそれも、どうにも人間には手に余る力だったわけだ。しかし、戦うにはどうしても魔力を使うしか道はなかった。だからこそ、生まれたのがそれだ」

ぴ、と俺がチョークでセレナの手首を——正確には、そこに収まっている機械のブレスレットのようなものを指した。

「魔法制御端末《マギア》ですね」

「その通りだ」

魔法の発展の歴史は、このマギアと共にあったと言っていい。

現代のマギアは起動句《トリガーワード》一つで、登録してある魔法陣を呼び出し、あとは魔力を流すだけで魔法が発動する状態にまでしてくれる。

この技術のおかげで、魔法のレベルは向上し、それが巡り巡って騎士の衰退と魔導師の隆盛へとつながるのだが、まあこれはいいだろう。

「マギアは優秀だ。これがあれば、昔の人間が長々していた詠唱をしなくても、魔法が使えてしまう」

詠唱が無意味とは言わない。セレナがちょくちょく詠唱しているのは、魔法を安定させたいからだろうし。

しかし機械で作られたマギアは使い手を選ばない。魔力さえあれば、最低限のパフォーマンスを保証してくれる。

「だからこそ、魔導師の良《よ》し悪《あ》しは、いかにマギアをうまく使えるかにある、と言っていい」

「じゃあ、私が魔法が下手なのは、マギアの使い方が下手だから……ですか？」

「普通だとそうなるかなぁ。魔力がある以上、魔法の適性が何にもない、なんてことはありえないわけだし」

マギア運用の流れは、起動句《トリガーワード》による術式の選択、魔力を流し魔法陣の構築、魔法使用の意志表示、の三工程に分かれる。

だから、セレナはこの三工程のどこかを極端に苦手としている……ともとれるのだが。

「まあでも、俺が見るにステラレイン君の問題はそれだけじゃなくて……」

ちらっとセレナの髪と、マギアを見る。

……まあ、気のせいかもしれないしな。

しかし、こうしてセレナの実力がわかると、気になってくることがあるな。

「ステラレイン君、件《くだん》の元生徒会役員の子たちってどれくらい強いの？」

そう、俺がどのレベルまで、彼女を強くしなければならないのかってことだ。

ベレッタのシアの実力は知っている。だけど、彼女の全てを見たわけではないし、そもそも魔竜《ドラゴン》相手じゃちょっと分が悪すぎるしなぁ。

「どのくらい、と言われても困りますが……役員の一人は、魔導順位戦三位の実力者です」

「三位かぁ」

と、言われてもイマイチぴんとは来ない。まだその魔導順位戦とやらを見たこともないし……なら、こうするのが手っ取り早いな。うん。

「ステラレイン君、各学校に連絡入れてくれないかな？」

「連絡、ですか」

セレナが眉を寄せる。俺は頷《うなず》いて答える。

「一度みんな集めよう。で、ちゃんと話し合おうよ」

◆

と、いうわけでセレナが各学校に連絡を入れて数日後、俺とセレナはシリウスの塔最上部、生徒会室で他の役員たちを待っていた。

「……」

だだっ広い生徒会室の会長の席――ではなく、来客用の卓に座るセレナはどこか緊張したような面持ちで、指で髪をいじっている。

「不安？」

「……多少は」

「と、ステラレイン君が言うってことは、かなり不安と見た」

「変な勘繰り、やめてください」

「だって、ステラレイン君が俺に強がる余裕もないって、相当だと思うけど？」

「……先生のそういうところ、嫌いです」

「おっと」

ジトーっと睨んでくるセレナに肩をすくめた。

「ま、不安ならどうやって会話を切り出すかでも考えてなよ。あと笑顔、これがあるだけで人あたりも変わるからさ」

にこーっと笑って見せると、彼女は不満そうに眉を寄せた。

「馬鹿にしないでください。会話のタネくらいあります。私、先生が思ってるほど友だちがいないわけじゃありませんから」

「へえ、ちなみになんて切り出すつもりなの？」

俺の問いかけに、セレナはふふんと得意げに胸を張った。

「まず会話というのは誰でも自分の意見を持ちやすく、かつ答えにくいパーソナルなものよりも、客観情報である方が始めやすいんです」

「ふむ、一理ある分析だ」

「それを踏まえると……やはり、『今日はいい天気ですね』が妥当だと思います。間違いないでしょう」

「ごめん全然一理なかった。ステラレイン君、そのデッキで会話に臨んでいいのは、中等部一年までだと先生思う」

「私、高等部なんですけど」

「君の会話デッキは中等部留年クラスってことなんだ」

そんなに……？　とショックを受けているセレナを尻目に、壁にかかった時計を見る。

指定の時間までもう少し。

「そろそろ来てもいいと思うけど……来ないね」

俺の言葉にこほん、とセレナが咳《せき》ばらいを一つ。気持ちと表情を切り替える。

「残念ですが、今の生徒会は権限が弱いですから。私の頼みだと無視される可能性もあります」

「無視って、そんなに関係悪いの？」

「そもそも、各学校の代表生徒がエルビス以外所属していませんから。普通なら通る指示も、今では難しいでしょう」

「ああ、そう言えば報道委員会の子もそんなこと言ってたね」

今の生徒会にそれができる権限があるのですか、だっけか。

なるほど、生徒会は役員五人が所属して初めて、ちゃんと機能するというわけか。

「シアとはそんなに関係が悪いようには見えなかったけどなぁ」

「悪い、というか……」

摑《つか》みどころのない白百合《しらゆり》のような少女。あの子はセレナに友好的だったようにも見えた。

しかし、当の本人であるセレナに言わせると違うらしい。

「誰ともあんな感じ、と言いますか。我を行きすぎと言いますか……」

「心外。わたしは元役員の中では相当物わかりがいい方と自負している」

「来て早々ケバブを串ごと丸かじりしているような人が何を——」

セレナが反射的に答えて、ハッと五つある机の一つに目を向ける。すると、先ほどまで誰もいなかったはずのそこには、ちっこい白百合のような少女が座っていた。

何やら両手にはそれぞれクロワッサンがパンパンに入った袋を持っていた。サクサクでうまそうだ。

「シア？　え、でも、どこから……」

「転移魔法。ここは一度来たことあるからログが残ってる」

それ以外ある？　とでも言いたげな目で答えて、シアはもぐもぐとクロワッサンを口に運んだ。

簡単そうに言うが、転移魔法は高等技能だ。それに、そこに「いない」ものを空間に呼び寄せるんだから空間にゆがみを作りやすく、察知されやすいんだが……まさか、俺がまるで察知できないとは。

「来て、くださったんですね」

「ん。この前ぶり、セレナ・ステラレイン。それに、アドレー・ウル」

「……ええ。貴方《あなた》も、変わりなさそうで何よりです。ベレッタの生徒たちもその後変わりはありませんか？」

「ん。エルシアも元気。他の子たちもケガはなかった」

「それは、何よりです」

少しだけセレナの表情が緩む。その様子にシアの目がきろりと動いた。ぱっちりとした大きな目がセレナを見透かすように見つめた。

「それより、セレナ・ステラレイン、貴方はもふもふもふ」

「うん？

「もふもふ、もぐぐ、もが？　もがががが？」

「……」

「もぐもぐ？　もぐもぐもぐもぐもぐ……」

「うん、ちょっと待ってなシア、そんな真面目な顔でクロワッサン食べながら話すのやめない？　ステラレイン君がどんな顔したらいいのかわかんなくなってるから」

「べ、べつにそんなことありません。私は問題なく聞き取れています」

「謎の強がりしないでよ……じゃあ、シアはなんて言ってるのさ」

「……今日は、いい天気ですね、と」

「それは君の、中等部レベルの会話デッキでしょ……」

まだいけると思ってたんだ、それ。

「ほら、シアも喋《しゃべ》るか食べるかどっちかにしてよ。君たちの間にあったシリアスな空気がふわふわ浮いちゃってるからさ」

「わかった」

こくり、と頷いたシア。彼女は俺とセレナに順番に目を向けると、そのままクロワッサンを食い始めた。

「……」

「……」

「あ、もしかしてクロワッサンを食べる方を選択したの!?　この状況で!?　普通、話す方を選択すると思うんだけど!?」

「目の前に美食があるのに、それを一番おいしく頂ける時間を逃すなんて許しがたい。食への冒瀆《ぼうとく》。人間は食事をして生きていく生命。それ故に、食への冒瀆はそのまま人間という生命への冒瀆」

「すごい、今日来て一番饒舌《じょうぜつ》だねシア・イグナス君！　いや、そうじゃなくてさ……」

「もぐもぐ」

「うん、だから食べるの一旦やめない？」

「先生、いつまでシアさんと遊んでいるんですか」

「あれこれ俺が怒られてる？」

というか、役員まで一人しか来てないのにこの状況って、全員来たらどうなってしまうのか。

……おや、なんか聞こえる、気がする……？

「なんだこれ……音楽？」

俺がそう言うと、セレナが眉を寄せ、シアがふうと息をついた。

「来ましたね」

え？　何が？

「彼女ですよ。恐らく、今日集まる中では一番苛烈で、鮮烈で、激烈な人です」

そう言った瞬間、生徒会室の扉が開け放たれ、ごろごろっとレッドカーペットが転がって来た。ついでにどこからかけたたましく音楽を響かせるスピーカー、部屋を飾る花々が、次々に転送されてくる。

がらんとした生徒会室が、あっという間に演劇の舞台にでもなったかのようだ。

そしてその中を、メドフラム魔導学院の制服である赤と黒のローブを揺らし、悠々と踵《かかと》を鳴らして入ってくる少女が一人。

「わたくしが来たわ。おめでとう。貴方たちにとって今日という最良の日、その中でも最良の時間の始まりよ」

太陽のような少女だった。

だがそれは笑顔の明るさからではなく。

纏《まと》う雰囲気の温かさからではなく。

人を引き付ける強いカリスマのような引力と、傲岸《ごうがん》不遜な自信に満ちたその表情が、天に燃える星を思わせたからだ。

セレナに月を思わせる静かさがあるなら、彼女には太陽を思わせる眩《まばゆ》さがあった。

「メドフラム学院二年クラリッサ・フォルテ。招集に不承不承だけれど、従ったわ。くだらない用件では無いのでしょうね？」

音楽が鳴り響く中レッドカーペットを歩いてきた彼女は、呆気《あっけ》にとられた俺と眉間を揉《も》

むセレナ、小さくぱちぱちと拍手をするシアの反応に、満足したようにフッと笑った。

「よし、存在感は出せたわね。では撤収。みなさん？」

「みなさん……？って、うわ何何何!?」

クラリッサがパンパンと手を鳴らすと、どこからか数人の生徒がシュババッと現れる。そして、転送されてきた備品を素早く片付けて、またシュババッと去って行った。

この間、だいたい三秒とすこし。

「今の何!?」

「わたくしの親衛隊ね。みんなメドフラムの後輩よ。もう必要ないから片付けてもらったの」

「今の生徒なんだ……というか、なんであんな登場を……？」

「わたくしがわたくしであるためよ」

「……？」

どういうこと……？

「アドレー・ウル、クラリッサに常識を求めない方がいい。彼女はメドフラムきっての変わり者」

「うんまあそれは見たらわかるけど、それをシアに言わせるか……」

いや、シアも認識するくらい相当な変わり者、と言えるのだろうか。セレナもなんだかさっきから難しい顔をしたままだし。

俺が入って来た彼女を見てそんなことを考えていると、クラリッサがフッと胸を張りつつ笑った。

「見惚《みと》れている、わね？　そこの貴方」

「先生？」

ジトっとセレナが俺に目を向ける。

「待ってステラレイン君、そんなことないから。ただちょっと興味深かったというか……」

「フッ、わたくしがいることで、わたくしの美貌に釘付《くぎづ》けになることは仕方のないことよ」

「べつにそんなこと言ってないけど」

「？」

いやそんな顔されても……。

クラリッサはとても不思議そうに俺の顔をしげしげと見ていた。しかし、しばらくすると「ああ！」と何か納得したように手を打った。

「もしかして『美しい』の概念を知らないのかしら？　なら覚えるといいわ。美しいとは、わたくしのために生まれた言葉よ」

「すげえこと言ってるね！　なら君が生まれる前から使っている俺は何なの!?」

「フッ。おめでとう。わたくしと出会ったことで、初めてその言葉を使うべき真の相手を見つけられたわ。存分に言うといいわ」

「こんな自信満々な子初めて見た……」

「わたくし、無敵なの。ごめんあそばせ？」

シュババッとクラリッサが手を振る。

「み、見てくれステラレイン君！　本当に空中に魔力で書いた『ごめん』の文字を遊ばせてるぞ！」

「フッ」

「いや、ごめんあそばせってそういう意味じゃありませんけどね」

いや、うん。わかってるんだけどさ。これはまた強烈なのが来たな。

◆

時間になり、五つある席の三つが埋まった。

一人目、ベレッタマギアスクールの校章の入った緑のケープを羽織る、シア・イグナス。

彼女はもぐもぐとクロワッサンを食べながら、無感動な瞳で周囲を窺《うかが》っている。

二人目、メドフラム学院の証《あかし》、黒と赤と金のローブの、クラリッサ・フォルテ。

荘厳な制服に身を包むクラリッサは、注がれた紅茶に口をつけたが一瞬離し、その後何もなかったかのように再び口につけた。熱くてびっくりした……とかじゃないか、流石《さすが》に。

そして三人目、エルビス学園の白の制服の、セレナ・ステラレイン。

やや緊張を顔に滲《にじ》ませ、けれど背筋は伸ばして静かに二人を見つめている。

ちなみに俺は三人から少し離れたところに椅子を引っ張ってきて座ってる。女子生徒と近づきすぎていいことはない気がするし。

「時間になりましたが、アネモス神聖学校と、カンナギ学舎は……」

「時間になって来てない。つまり無視されたということ。違う？」

シアの言葉にセレナが押し黙った。その様子にクラリッサはゆっくりと紅茶のカップを置くと、ふ、と流し目がちにセレナを視界にとらえた。

「それで、わたくしたちを何の用で呼び出したのかしら？　こうしてわざわざ来てあげたのだから、くだらない用件でないのよね、セレナ」

「……いえ、クラリッサ、生徒会長の招集は正式なものです。基本的に従う義務がります」

「そうね、それが正しい生徒会長によるものなら」

でも、とクラリッサがつなぎ、足を組み替えた。

「貴方はおこぼれで生徒会長になっただけ。正直、わたくしたちに従う理由なんてない、違う？」

「それ、は……」

セレナが唇を噛《か》んで、肩を縮こまらせてしまう。対してクラリッサは椅子に深く座り、余裕すら見せる態度でセレナを睥睨《へいげい》していた。これじゃあどちらが呼び出したかわからない。

ちなみにシアは、そんな二人に我関せずとばかりにクロワッサンを食べてた。マイペースだなぁ。

でも、まあいつまでもこうして険悪にいられても仕方ない。俺としてもできることをやろう。

「まあまあ、みんなそこまで。ステラレイン君に招集を頼んだのは俺なんだから、あまり彼女を責めないであげてくれよ」

それまで少し離れていたところ座っていたけど、三人の仲を仲介するように立ち上がって声をかける。俺はこれでも生徒統括委員会の顧問である。邪険にされることはあるまい。

「だから、いったん落ち着かない？　会話は大事だよ、な？」

俺がへらりと笑みを顔に張り付けてそう言うと、クラリッサの目がこちらに向いた。炎のような強い瞳。彼女は俺をじっと見つめ、そしてフッと笑みを漏らす。

「誰？」

「あ、全然覚えられてなかったんだね俺！」

そう言えば自己紹介してなかったね。ごめんね。

改めて名乗ろうとしたら、ぽん、とシアに背中を叩《たた》かれた。どうやら任せてくれと言うことらしい。

せっかくなので任せてみると、シアはしぱしぱと目を瞬かせて、ネクタイを引っ張って俺を無理やりクラリッサの方へとむけた。痛い痛い。

「クラリッサ。紹介。彼はアドレー・ウル。存在が罪の生徒会顧問」

「急に何言ってんの？」

いや確かに、シアと初対面の時そんなこと記録されてたけどさ。

「なるほどね、マドラー・アル、ね」

「参った、驚きの俺の真名が判明してしまったぞ、ステラレイン君」

「全然違います！」

俺に怒られても……。

「ごめんあそばせ。わたくし、興味のない名前は覚えられないの」

「なんて典型的なお嬢様ムーブ……」

「そのせいで、魔法史に出てくる魔導都市の四代目の理事長がどうしても覚えられないのよ。テストで困るから本当に覚えたいのだけれど……」

「それは確かに不便そうだね」

頑張って勉強して覚えてほしいと思う。

「ん、んんっ」

っと。話題が空の彼方《かなた》に射出されつつある。脱線しすぎだ。そのことをセレナの咳払《せきばら》いで気づいた。

目でセレナにお礼をして、眼鏡を押し上げた。よし、ＯＫ、切り替えだ。俺は改めてセレナ、シア、クラリッサの順番で目を向けた。

「頼みがあるんだ。君たちは生徒会に戻るつもりはない？」

「断るわ」

「……わたしも、頷《うなず》く理由がない」

即答したのはクラリッサ。そして、しばらく時間を置いてからシア。

「……一応、理由を」

「私が」

セレナ？

「私が、生徒会長だから、ですか」

その瞳は、僅かに揺らいでいた。

だが、セレナは背筋を丸めず、凛《りん》とした声で二人へと問いかけていた。

それに対して、クラリッサの答えは明確だった。

「ええ、そうよ。四戦全敗の、落ちこぼれのセレナ。わたくしは、自分よりも下の人間につく趣味はないわ」

「……そうですか」

ぎゅ、とセレナが机の下でスカートを握ったのが俺にだけ見えた。

でも、彼女の瞳はクラリッサから逸《そ》らされることはない。耐えるように、セレナは今の事実と向き合っているようだった。

……強いな、君は。なら俺も君の先生として、できることをしないとな。

「なあ、クラリッサ――」

俺が先生として口を開こうとした時、そこに割り込むように生徒会室の扉が開いた。

「おやおや、少し様子を見に来れば、随分と険悪な空気ですな」

その声が聞こえた時、生徒会室にいる全員が、ギョッとしたように目を見開いた。感情の起伏があまり見えないシアですらそうなのだから、これはよっぽどの事態だ。

「どうかされましたかな？　何をそんなに驚いてなさる」

ほっほっほと笑うのは白ひげを蓄えた禿頭《とくとう》の老人。足元まで覆う黒いローブを翻し、片手では身の丈にも迫る長大な機械《マギア》の杖を突いていた。

……なんでこんなところに、この人が来るかね。

「テオドラフォン・アルバ理事長、なぜ、ここにいらして……」

セレナが困惑しつつ老人の名を呼ぶと、老人――アルバ理事長は、ほほほと笑った。

「いや、何、生徒会が役員を招集したと聞いてね、どうなったかな、とね」

――テオドラフォン・アルバ。

アウロラ理事会の現理事長にして、王国に代々仕える名家アルバ家の現当主。

先の人魔大戦では様々な魔法を生み出し、人族連合軍の戦線維持に貢献した。鍛え上げられた無詠唱魔法を操る姿を、人は尊敬を込めて『無詠聖典《マグナ・レコード》』と呼んだ。

今のアウロラの人間の中で、間違いなく一番権威のある魔導師。

そんな彼は周囲を軽く見回して、俺の姿を捉えると目を細めた。そしてどこか若々しさを感じさせる態度で手を上げた。

「やあ、アドレーくん。噂《うわさ》では聞いていたが、本当に来ていたのだな」

「あはは、どうも。ご無沙汰してます」

にこやかな笑みにどうしていいかわからず、とりあえずこちらも笑って頭を下げておく。

その様子にセレナが俺と理事長の間で目線を行き来させる。

だが、俺が『夜の騎士』であると知る彼女は『人魔大戦』の関係だと察したらしく、黙っていてくれた。

しかし、そこらへんを知らないシアはぱちくりと目を瞬かせる。

「理事長、アドレー・ウルと知り合いなの？」

「うん？　ああ。アドレーくん――いいや、夜叉《やしゃ》殿とは昔戦場で――」

「あ、あー！　理事長！　それで何の用ですか！　お忙しいでしょう！」

セレナだけならともかく、シアとクラリッサのいるところでは勘弁してほしい。ちらっとシアを窺う。

「笑顔、ひきつってる、アドレー・ウル」

「気のせいだよ、シア・イグナス君」

シアが俺をジーっと見ている気がするが、適当に誤魔化しておいた。クラリッサは……あんまり変わらないな。さっきまでと同じ涼しい顔だ。

「……フッ、知りたい、という顔ね」

「うん？」

「わたくしが赤と金の髪留めをつけているのは、わたくしに似合う高貴な色だからよ」

「ごめん、全然聞いてない」

急に何？

「人なら誰しも、わたくしのことを知りたいものでしょう？」

「覇王の思考だ……」

その後、「どういう状況かな？」と再び理事長に聞かれた俺が、軽く今の状況を説明する。

「なるほど。つまり生徒会長のセレナさんと顧問のアドレーくんは、他の学校の役員に生徒会へ戻って来てほしい、と」

ふむふむ、と腕を組んだ理事長は、次にクラリッサたちに目を向ける。

「対してクラリッサさんとシアさんは、各々の理由でそれには従いたくない、と。なるほどなるほど。ちなみに伺いますが、心変わりの予定は？」

「ない」

「わたくしも、ないでしょうね。少なくとも、今の疑いが晴れないうちは」

うん……？　クラリッサは随分引っかかる言い方だな。疑いって、なんのことだ？

だが一瞬浮かんだ思考も、ぱん、と理事長が手を叩いたことで掻《か》き消される。

「相反する二つの意見。どちらも引く気はなく、議論はこれ以上平行線。ならば、できることは一つではないかな？」

「アルバ理事長、それは私たちに……」

言いかけたセレナの言葉を、理事長は頷いて肯定した。

「『魔導戦』で決めようではないか。なにせ、ここは魔導都市なのだから」

そう来たか……。魔導戦、そりゃいつかは挑むつもりだったけど、流石《さすが》に今は早い。

今のセレナでは、まだ勝負にもならない。

「お言葉ですが理事長、戦うまでもないと思いますわ」

クラリッサが立ち上がり、フッと胸を張った。

「セレナは魔導戦で全敗した落ちこぼれ。わたくしたちとの差は歴然ですわ」

「それは……」

「そうでなくても、この子に魔法を使う才能はありません。なにせ、この学年になっても、どこの研究室も受け入れてくれなかったのですものね」

ぐ、とセレナがスカートを握る。

「悪いことは言わない。やめておきなさい。セレナがわたくしに勝つことは、一生ないわ」

セレナは何か言い返そうと顔を上げるが、クラリッサの燃える目に見据えられ、やがて力なく目を逸らしてしまう。

「貴方《あなた》が、一番よくわかっているはずよ。貴方が努力しても無駄なのは」

……確かに、セレナは落ちこぼれだろう。

高等部の二年でまともに魔法が使えないなんて、お世辞にも才能があるなんて言えない。

確かに今のままでは、クラリッサに勝つなんて夢のまた夢なのだろう。

でも、それでも、『無駄』とまでは言わせたくない。だって、この子は前へ進もうとしている。それを誰かに否定させたくない。

「まあ、ちょっと待ちなよクラリッサ」

ぽん、と俺は俯《うつむ》くセレナの肩を叩く。彼女が驚いたように顔を上げたので、軽く笑い返しておく。

そんなこの世の終わりみたいな顔をしなくていいさ。キミには可能性があるんだから。

視界の端で、ほう、と顎鬚《あごひげ》をなでる理事長が見えた。

「ええと……何かしら？　名前も覚えていない貴方」

「アドレー・ウルだよ、生徒会顧問の」

「覚える価値のない名前に興味はないわ。何が言いたいのかしら？」

「一つ、反論をしたくてさ」

ぴ、と俺は指を立てる。

「クラリッサ、君の言うことは確かに間違ってない。この子は落ちこぼれだ。基礎魔法もまともに使えない。それに真面目で小言が多くて、俺が煙草《たばこ》を吸ってたらぐちぐちと

「……」

「先生？」

「おっと」

こほん。なんでもないです。

「まあ、そういうわけで確かにステラレイン君は落ちこぼれだ。今の君には勝てないだろう。でも――」

俺はセレナの背中を叩《たた》いて、眼鏡を押し上げる。

「この子はきっと強くなるよ。クラリッサ、君よりもね」

言った瞬間、スッとクラリッサの目が細くなる。

「冗談にしては面白くないわね」

「冗談じゃないからね。俺はステラレイン君を、元生徒会役員にも負けないくらいに強くするつもりだ」

そして、眼鏡の向こうに見えるクラリッサに少し笑ってやる。

「もちろん、君にも、ね」

俺の言葉にシアが目を瞬かせ、理事長がほほほと楽しそうに笑った。

そして、しばらくクラリッサが静かに俺を見極めるように目を動かした。

金の瞳。まるで炎を宿す太陽のような、熱く、燃える強さ。

「……なるほど」

そして、一言クラリッサが呟《つぶや》いた。

「いいわ。魔導戦をやってあげる。仮にも大人の『先生』がそこまで言うには、よほど自信があるのでしょうし」

尊大に胸を張って彼女はそう言った。そして組んでいた足を解くと、立ち上がってファサっと髪を払う。

「じゃあ、準備しなさい。魔導戦をやるわよ。レギュレーションは学校間公式ルールで構わないわね？」

「え、い、今？　いや、流石に今すぐはまだステラレイン君の準備が――」

「セレナ？　何を勘違いしているの？」

クラリッサが腕を上げ、よどみなく俺を指さした。

「わたくしが戦うのは、貴方よ」

……え？

「ちょ、リッサ!?　相手は先生ですよ!?」

セレナが声を上げたが、クラリッサは動じない。俺を指さし見つめたままだ。

「関係ないわ。ここまで豪語するのだし、貴方は教師としてそれ相応の実力があるのでしょう？」

あ、あー？　そうなる？　いや、そうなっちゃうか。困ったな。俺が戦うって、それはなんというか……。

「いや、俺は――」

俺が断ろうと口を開こうとするが、そうはさせぬとばかりに、クラリッサは背伸びをして俺の口を指でふさいだ。そしてぱちりと俺にウインクを一つ。

「拒否権はないわ。もし負けたら……そうね、貴方、わたくしの召使になるなんてどうかしら？」

◆

「まさかまたこの場所に戻ってくるとはなぁ……」

来たのは演習室。先日セレナと魔導戦をした場所である。

このような演習室は、メドフラム魔導学院にもあるのだが、クラリッサが「貴方も慣れた場所の方がいいでしょう」というものだから、エルビス学園でやることになった。

それにしても、こんなに短期間で生徒と二度も魔導戦をすることになるとは。

「く、ぷくくく……」

……で、こいつはいつまで笑ってんだよ、マジで。

俺は演習室の廊下の前で身体《からだ》の調子を確かめながら、隣で肩を揺らして笑いをこらえている、銀髪エルフを睨《にら》みつける。

「何笑ってんだ」

「いやあキミは本当に退屈しないからさ。何、どうやったら生徒と魔導戦をするなんて流れになるの？　あー、おもしろ」

ユフィはひとしきり笑うと、目尻の涙を掬《すく》った。そして表情を整えると声のトーンを一つ落とした。

「アドレー、一つ言っておくけど」

「何？」

「持て余した加虐性癖を、生徒で発散するのはもちろん犯罪だ。流石にボクでも庇《かば》えないからね。そのことは理解しておいてくれ」

「話題があまりにも高速すぎて、俺が置いて行かれているんだよ」

「報道部の新聞には、君が加虐性癖を持つ異常な教師だと書いてあったよ」

「嘘《うそ》だろ？」

「嘘だね」

「頼む！　今までのお前と話してた時間返してくれ！　無駄すぎる！」

「そんな……ボクはこれほどまでに、アドレーと話せる喜びに打ち震えているのに」

「その喜びに俺も参加できないうちは、和解不可能だな」

「と言いつつも、アドレーはボクを邪険にしないんだから、ボクのことが本当に好きだよねぇ」

「慣れてるだけだっての。あの頃はほとんど一緒にいたからな、俺ら」

ド』を取り出して、軽く伸びをする。


「ふふ、そうか。そうだったね」

ユフィは昔と変わらない。みんなで旅してた時のままって感じだ。安心すらする。

そんな会話をしながら、セレナから貸して貰《もら》ったマギア『十三式エルゼント・ブレイド』を取り出して、軽く伸びをする。

「アドレー緊張してる？」

「んー、まあそれなりに。クラリッサ、かなり強そうだったし」

「なら魔導戦の提案なんて、適当に受け流せばよかったじゃないか」

「俺の生徒が悪く言われてるのに、どう受け流せっていうんだよ」

エルゼント・ブレイドの問題はなさそう……おい、なんだよその顔は。

ユフィは口元を手で隠して、やれやれ、とでも言いたげに目を細めている。

「いいや、何も？　ただ、そういうところ、セレナに毒だよねぇ」

「どういうところだよ」

「いーや、べつに？」

にこりと、あからさまな作り笑いでユフィは俺を煙《けむ》に巻いた。

「ま、ボクは観客席で、君の戦いを見せてもらうよ。残念ながら観客はボクとセレナと、ベレッタのシアに、理事長のアルバだけで寂しいだろうけど、賑《にぎ》やかしくらいにはなるだろう？」

「ちょっとでも不敬があったなら、そのまま首が飛びそうなメンツをどーも」

俺の文句が聞こえたのか聞えなかったのか、ユフィは「じゃあね」と手を上げると横道に入って観客席へ上がって行った。

「ふう、よし」

拳を握ると廊下を進んで、演習室へと足を踏み入れる。

「あら、来たのね」

円形のだだっ広いフィールド。周囲には360度ぐるりと取り囲む観客席。

学期末の実技試験の時にはこの観客席は、見物人の生徒や監督教師、市民で埋め尽くされるらしいが、今日に限っては数えるほどしかいない。

静かで、けどどこか張り詰めた空気が漂っている。

そしてその中心には覇王のように、不敵な笑みを浮かべたクラリッサ・フォルテが俺を待っていた。

「逃げずに来たことは褒めてあげるわ」

クラリッサは赤い髪をファサっと払うと、腕を組む。

「ま、今後俺が顧問になる委員会の生徒だから。ちゃんと仲良くなりたくてね」

「……フッ、その強がりが言えるだけでも大したものね。アクドイ・オジ」

「アドレー・ウルね。いかにも悪さをしてそうなおじさん、みたいな適当な覚え方しないでね」

「……フッ、そう呼ぶ人もいるようね」

「生まれてこの方、俺の本名はこれだけだよ。覚えてくれると嬉《うれ》しいかな」

「わたくし、覚える必要もない他人の名前を覚えるのが苦手なの。ごめんあそばせ？」

「あ、また空中でごめんを遊ばせてる……好きなのそれ？」

「ええ。わたくしがこれを見せて笑わない後輩はいなかったわ」

そう言って快活にクラリッサは笑う。傲岸《ごうがん》不遜で、尊大な言葉遣い。年上への敬意なんてひとかけらも感じ取れないのに、それが全く嫌味に感じない。

自然体なのだ、クラリッサは。陽《ひ》が射《さ》すだけで人が目を瞑《つぶ》るように、その場にいるだけで我を通してしまう。

そんなカリスマ性が彼女にはある気がする。

「では、両者準備は良いかな？」

観客席で理事長が立ち上がり、俺たちに声をかけた。

「レギュレーションは学校間公式ルール。相手を気絶させるか、戦闘不能判定、もしくは降参宣言で終了。使う魔法に制限はなし」

「制限なし？　いいんですか、理事長。こうした魔導戦は下手したら死ぬことだってあるのでは」

「フッ、無知ね。学生のマギアにはリミッターがかけられてるのを知らないの？」

あ、そう言えばセレナがそんなこと言ってたな。教師がリミッターを解かない限り、魔導戦で怪我《けが》をしないような出力に自動的にしてくれるって。

「それに、各学校の演習室の中には強力な治癒結界がかけられておる。もし致命傷につながるような怪我をした場合は、自動的にその治癒魔法が発動するようになっているのだよ」

「なるほど、それが戦闘不能判定というわけか」

軽く見回してみれば、確かにフィールドの外周にうっすら詠唱が刻まれているのが見えた。おそらく審判が魔力を流すと発動する、魔導戦専用の結界のようだ。大方、ユフィが作ったのだろう。

「勝敗にかけるのは先ほど生徒会室で話した通り……両者異論はないかな？」

「ええ。問題ないわ」

「俺もです」

「よかろう。では、ここに魔導都市『アウロラ』理事長の名において、両者の魔導戦を承認する」

俺とクラリッサが頷《うなず》くと、理事長もまた頷いた。

「では、両者マギアを手に」

理事長の言葉が終わると同時に、俺はマギアを展開する。

「起動《セット》『十三式エルゼント・ブレイド』」

懐から取り出した、懐中時計のようなマギアを指で弾《はじ》いて唱える。

一瞬、中に浮いた機械仕掛けの鉄塊が、音を立てて剣と変わる。それを空中で受け取って、握り直す。

うん、いい剣だ。

「ふうん、貴方《あなた》、やっぱり魔法が使えるのね」

その俺の様子を静かに見つめていたクラリッサが、不意に口を開いた。

「体の中に眠る魔力から、魔法が使えないはずがないと思っていたけれど、随分マギアに手馴《てな》れているわね。魔導師……いいえ、絶滅した『騎士』かしら？　生き残りがいたのね」

……へえ。

「そこまで自己紹介したつもりはなかったなぁ」

「セレナはどうだったか知らないけれど、わたくしにはわかるわよ。わたくしも、そういう家だったから」

フッとクラリッサが不敵に笑う。かつんと踵《かかと》を鳴らして、髪を片手で払う。流れる髪の隙間から覗《のぞ》いたのは、赤と金のイヤリング。

「起動《セット》――――『ディアフランメ』」

クラリッサの魔力が目覚め、イヤリングを巻き込むように嵐を作る。渦巻く魔力の流れは赤い光をまとい、イヤリング型のマギアを変形させる。そして、赤と金の、クラリッサの身の丈に迫るほどの、長大な槍《やり》が嵐の中から出てきた。

槍はきりりとクラリッサの周囲を旋回し、自らの意志を持つかのようにその手の中に収まった。

「――――いい子ね」

クラリッサが手の中で槍型マギア『ディアフランメ』を躍らせて、切っ先を俺へと向けた。そして、胸を張り、不敵に笑って今一度名乗って見せる。

「わたくしは、順位戦第三位クラリッサ・フォルテ。一瞬で戦いを終わらせてしまったら、ごめんあそばせ？」

◆

円形のフィールドの外、観客席に座るセレナは、今まさに始まろうとしているアドレーとクラリッサの魔導戦を難しい顔で見守っていた。

本当は、自分が戦うべき魔導戦だ。けれどそれが、いかな事の運びか、教師であるアドレーが戦うことになってしまっている。

今、こうして二人を見ることしかできない自分が、腹立たしい。こんなところにいる自分が本当に強くなれるのだろうか。

不意にぽん、と肩に手が置かれた。

「『ああ、二人とも私のためになんか戦わないでください！』と、顔に書いてあるよセレナ。まるで囚《とら》われのお姫様だ」

「べつに書いてませんから！」

ユフィールの言葉をセレナが食い気味に否定すると、今度は反対側の肩にも手が置かれた。

「ん、大丈夫。セレナ・ステラレイン。貴方がアドレー・ウルに強い執着を持っているのは、火を見るより明らか。だからはむはむはむはむ」

「勝手なことを言わないでください、シアさん――ああ、しゃべりながら食べないでください。綿菓子なんか食べるとなおさら何を言いたいかわかりませんから」

「ん」

喋《しゃべ》る途中で綿菓子を食べ始めたシアは、いつもと同じ眠たげな眼《め》で、セレナの隣に腰かける。

「さて、気になる魔導戦だね。クラリッサはかなり強いんだったかな？」

「前期のメドフラム学院魔導戦三位。次期学年主席魔導師筆頭。それに『魔導錬成《まどうれんせい》』持ち。間違いなくこの歳《とし》の中でも、一握りの『天才』」

「へえ、錬成持ち。あの歳で大したものだね。セレナはどう思う？」

「なんで二人が私の隣にいるんだろうと、不思議に思っています」

「一人で見るのなんて寂しいじゃないか。せっかくならみんなでお菓子でも食べて談笑しながら見ようじゃないか」

「そんな気分にはなれません。私のせいで起きてる魔導戦ですし。そもそもここにお菓子なんてありません」

「お菓子？　食べたいなら綿菓子、転移魔法で呼び寄せる」

シアがいる？　と綿菓子を差し出してくる。

「……いえ、結構です」

「あ、じゃあボクは貰おうかな。代金は……そうだね、アドレーにでもツケておいてよ」

「ん。わかった」

「ユフィール学長……」

「うん？」

セレナが額を押さえつつ抗議するように目を向けたが、隣にいるユフィールは楽しそうにからからと笑うだけだ。まともに取り合っても無駄なことと悟ってため息を一ついた。

気を取り直してアドレーとクラリッサのいるフィールドに目を向けると、ちょうど二人はマギアを展開し終えたところだった。

アドレーのマギアは『十三式エルゼント・ブレイド』だ。新入生などに配布されることも多い、マギアの基本的なシステムだけを搭載した、廉価で使い勝手のいい『エルゼント』シリーズ。その片手剣タイプである。

対するクラリッサが手にしているのは、赤と金の長槍。おそらくあれが彼女のマギアなのだろう。

しかし、あのような形のマギアがあっただろうか。少なくとも、セレナは見覚えのない形だった。

「……『ディアフランメ』」

ぽつりとシアが呟《つぶや》いた。

「へえ、シアは知ってるんだね」

「ん」

こくりとシアが頷く。そしてクラリッサの槍型マギアから目を離さずに淡々と続ける。

「クラリッサ・フォルテの愛機。豪奢《ごうしゃ》な見た目に反して安定性の高いマギア。特筆すべきは彼女の錬成《オリジナル》に対応できる魔導演算のレスポンスの速さ。汎用マギアと比較して、二倍近い速度で魔法陣を展開できるその性能は無比。その分消費魔力は増えるものの、内包魔力が生まれつき多いクラリッサ・フォルテはそれを苦にしない。もちろん槍型なのも伊達《だて》じゃない。見たところフレームはヒヒイロカネとの合金。傷をつけることも難しいはず」

今までの言葉数の少なさが嘘《うそ》だと感じるくらい、流ちょうに喋るシアに、ユフィールが口元に手を当てて蠱惑的《こわくてき》に微笑《ほほえ》んだ。

ユフィールはもはや数えるほどしか残らぬエルフであり、現代魔法の功労者。彼女の存在がアウロラを発展させ、守護していると述べる人もいる程である。

そんな彼女は、ゆっくりと一つの疑問を口にした。

「つまり――どういう意味？　もう一回最初からいい？」

どうやら全然わかってなかったらしい。

「……」

「……」

「いや、仕方ないだろう。ボクはマギアなんかなくても魔法を使えるから、そこら辺の理屈がよくわからないんだよ」

はあ、とセレナが今日何度目かの嘆息を溢《こぼ》す。

「……すごく高性能ってことです。それでいてクラリッサ・フォルテくらいにしか扱えないマギア、と言ったところではないでしょうか」

「あ、それならボクにもわかるよ」

嬉しそうに手を打つユフィールは「なるほどなるほど」と呟きながら、マギアを手にしたアドレーとクラリッサに目を向ける。

「まあ、でもどんなに高性能なマギアでも道具は道具だ。勝負はやってみなければ、どちらに勝ちが転ぶかはわからないさ」

ユフィールはそう言って頬杖《ほおづえ》をついて目を細め、ぼそりと呟いた。

「それに、ボクのアドレーに唾をつけようとしたぶん、ちょっと痛い目を見てもらわないとね」

「ユフィール学長、何か言われましたか？」

「いいやなんでも？　ただの些末《さまつ》な独り言だよ」

セレナの質問にユフィールは、にこりとあからさまな作り笑顔を浮かべる。

セレナがやや怪訝《けげん》な顔をしてさらに質問しようとしたが、そこに差し込む声が突如聞こえた。

「いいえ、貴方がたはお姉様の実力をわかっていなくってよ！」

観客席に響く声。セレナたちが声のした方に目を向けると、カッと光が射《さ》した。そこには逆光の中たたずむ人影が三つ。

「誰ですか？」

セレナが問いかけると、シュババッと三人の女生徒がそれぞれポーズをキメキメで降り立った。

「いったい誰だと聞かれたら！」

「教えてあげます我らの御名《みな》を！」

「お姉様より授かりしこの名前！」

「アンドリュー！」

「ルチアーノ！」

「ロマノフ！」

「いや本当に誰ですか？」

「めちゃくちゃ男性名っぽい名前つけられてるねぇ」

のんびりした調子のユフィールにややセレナが毒気を抜かれる。ちなみにシアは隣で、我関せずと三つ目の綿菓子を口に運んでいた。

「あだ名はそれぞれアン、ルシィ、マノなのでそう呼んで下さいましね」

「あだ名にはかわいげがある……」

自分たちでつけたのだろうか、と考えてふるふると首を振る。なんだか空気を持っていかれている。

「それで本当にどちら様ですか？　ここは一応生徒統括委員会が貸し切っている場所なのですが」

咳払《せきばら》いをして気持ちを入れ替えると、突如現れた三人の少女に問いかける。やんわりと釘《くぎ》をさすつもりで言葉はやや厳しくしたが、三人の真ん中にいた少女がエヘンと胸を張った。

「見てわかりませんの？　まったく、困ったものだわ」

「まあまあアン、ちゃんと名乗らないとわからないのが道理ですわ」

「私たちはクラリッサお姉様の親衛隊ですわ！」

「ほら、先ほどもレッドカーペットを回収しに行きましたでしょう？」

「あぁ、あの時の……」

そう言えば、確かにクラリッサが登場した時に突如現れた生徒たちが、こんな見た目だった気もする。よく見てみれば制服もクラリッサと同じメドフラム魔導学院のものである。

「ふふふ、貴方がた、お姉様の理解が浅すぎますわ。なので私たちがご教授してあげようかと」

「急にマウント取ってきたね」

「ふ、そう遠慮しなくてよくってよ。私たちよりお姉様に詳しいのなんて、お姉様のご両親しかいないと自負しているわ！　あと時々名前が上がる幼なじみさんくらい！」

キュピーンと目を光らせて、少女が親指を立てる。

「さ、どこから語りましょうか？　そちらの綿菓子を食べてる方——シア・イグナスさんも聞きたいでしょう？　そうですね、まずはその名前の由来から……」

「いい。わたしはマギアの性能以外興味ない」

「ええ、でしょう。まずフランメは——って、えっ、聞かないんですの？」

「ん」

「どういう意味の「ん」なんです、それは？　あ、綿菓子食べないでくれません？　え？本当に聞いてくれないんですの？」

「あ、ボクも大丈夫だよ。ボクは魔導戦の結果が知りたいだけだし」

「しょ、しょんなぁ……」

しょぼんと肩を落とす少女たちに、セレナが何とも言えない顔をする。少しかわいそうになるくらいの落ち込みようだった。

「……どんな意味があるんですか、彼女があのマギアを使うことに」

セレナが仕方なくそう聞くと、少女たちの目がぱあっと輝いた。

「よ、よくぞ聞いてくれましたわね！　あのディアフランメはそもそもフォルテ家のご当主様が使う予定の一品でそれ故に！」

「落ち着いて、アン。急に早口になってるよ」

「もうすぐ戦闘も始まるし、簡潔にまとめよ？」

「そ、そうですわね」

左右の親衛隊に制止された少女は、クラリッサの方に目を向ける。

「時に、貴方《あなた》――ステラレイン会長は、お姉様のあのマギアを見たことはありますか？」

「ありませんが……それが？」

「いいえ？　ただ、貴方はお姉様にそういう風に見られていたのですね」

急に何を言い出したのだろうとセレナは眉を寄せる。だが、その答えはすぐに少女が教えてくれた。

「あのマギアは特別性。故に――お姉様があの武器を使うのは、本気で戦うと決めた時のみですわ」

「――それは」

遠くでアルバが手を上げ、戦闘の開始の合図で腕を振り下ろした。

「どうやらお姉様は、あの教師を全力で叩《たた》き潰す気のようですわね」

瞬間、クラリッサが弾《はじ》かれるように加速した。足元には赤色の二つの小さな魔法陣。

セオリー通り飛行魔法で相手の頭上を取ると、次は近接魔導師のオーソドックス加速魔法で肉薄する。まずは小手調べのつもりか、首を狙った横薙《よこな》ぎの一撃。穂先には威力を底上げする魔力刃が纏《まと》わせられている。

アドレーは剣となっているエルゼント・ブレイドを差し込んでクラリッサのディアフランメを弾くと、後ろに転がるように距離を取った。

「逃がさないわ――――加速飛行《アクセルムーヴ》」

だが、クラリッサはそれを許さない。今度は飛行魔法と併用した加速魔法で、走るのではなく地面スレスレを滑るように、アドレーの背後に回り込み槍《やり》を振るった。

「ほら、見せて御覧なさい！　『騎士』の実力のほどを！」

「ご期待に沿えるかどうか、っと、とと」

一つ、二つ、三つ。クラリッサの手の中で踊る槍をアドレーは剣で捌《さば》く。しかし、しばらくするとやや分が悪いと感じたのか、地面を蹴って土を舞い上がらせ、バックステップで槍の射程から離脱する。

「あら、遠距離戦が御所望かしら？　なら――」

まるで指揮者のごとくクラリッサが槍を振るうと、背後に三つの魔法陣が出現する。

「踊りなさい、誘導弾《カルメン》」

マギアの音声認識で紐《ひも》づけられた起動句《トリガーワード》で魔法陣を起動し、生み出された魔法陣から三つの光弾が放たれる。

アドレーは素早く魔法陣の射線上から逃げる。だが、かわしたはずの光弾が明らかに軌道を変えて自分を追ってくるのを見て眼鏡を指で押し上げる。

「誘導弾か。参ったな」

ならば、と軽く剣を握り反対に弾丸へと突っ込む。一つ、二つと剣を振って弾丸にわざと剣を当てて光を砕き、最後の一つは剣身を盾のように使って受けた。しかし、勢いは殺しきれず体が弾かれそうになったが、足を踏ん張り耐えた。

「いつつ……かなりの魔力量だな、これは」

びりびりとしびれる手を、軽く振りながらぼやく。

その人が体に蓄えられる魔力は生まれつき決まっている。魔導師を志すような人間はその蓄えられる魔力、魔力量が人よりも多い。なぜなら、魔導師にとって魔力は銃に込める弾丸のようなもの。多ければ多いほど魔導師に向いていると言われる。

そして、クラリッサはそんな向いている人間の中でもさらに魔力量が多い。非魔導師の一般人の魔力量を5、一般的なアウロラの生徒を20とするなら、おそらくクラリッサは120はあるだろう。

「魔法適性は射撃《ショット》と、強化《ブースト》と、あと補助あたりか……大したもんだ」

アドレーが今まで出会ってきた魔導師の中でも間違いなくトップクラスの才能だ。かといって、体術だっておろそかにしているわけではない。あの傲岸《ごうがん》不遜な態度がハッタリではない、『天才』と言うに差支えのない実力。

（なるほど、ステラレイン君が目指すラインはここか。これは中々だな）

頬を伝った汗を手の甲で拭うと、土煙の中から一歩踏み出したクラリッサが髪を払った。

「貴方、大したものね。ディアフランメを使った魔導戦で五分持ったのは久々よ」

「それはどうも」

「褒める権利を上げるわ。今までレベルの高すぎる魔導戦をしていたこのわたくしを」

「あ、俺が褒めるの!?」

「何を当たり前のことを言ってるの？」

「この流れだと五分持たせた俺をキミが褒める流れだと思うけど……」

「フッ、馬鹿ね。いいこと、人間はね、褒められれば嬉《うれ》しくなるの。わたくしくらい優れた人間になれば毎秒褒められていたいのよ」

「実力に反して褒めに貪欲～……」

クラリッサがじーっとアドレーを見る。

「……」

「……？」

「……で、まだ？」

「何が？」

「わたくしを褒める時間」

「あ、今のこの時間って待ち時間だったんだ！　いやすごいと思うよ！　その歳《とし》でそんだけ強いのは」

「フフン、でしょう？　それでいいのよ、それで」

自慢げに胸を張ったクラリッサは、再び手の中で槍を回した。そして、今日何度も見せた傲岸不遜な笑みを浮かべた。

「けれど、まだもう少し、驚いて貰《もら》おうかしら」

突如ゆらり、とクラリッサの周囲が歪《ゆが》んだ。

「――おっと」

否、歪んだのではない。そう見えただけだ。彼女の身体《からだ》から呼び起こされた魔力が、周囲の空気と混じり光を屈折させている。

「まさか、使えるのか？」

主語はないアドレーの問い。しかし、クラリッサはその質問に躊躇《ためら》うことなく答える。

「愚問ね。わたくしは、『クラリッサ・フォルテ』なのだから」

キィン、とクラリッサの足元に赤色の魔法陣が展開される。

クラリッサの意思をマギアであるディアフランメが汲《く》み取り、その『魔法』を呼び起こす。

「――『魔導錬成《まどうれんせい》』」

その声と共に、クラリッサの周囲に赤い魔力の光が渦巻いた。

その光に客席に座っていた親衛隊の一人が立ち上がって声を上げる。

「――あれは！」

「知ってるのアン！」

「もちろんよ！　これを知らないメドフラム生がいたらそいつはモグリよ！」

「なら教えてあの魔法の正体を！」

「良くってよ！」

「随分キレキレのやりとりだ。練習してたのかな」

「ユフィール学長、そこは触れないであげましょう」

ユフィールの素朴な疑問はスルーして、アンと呼ばれた少女が拳を握る。

「『魔導錬成《まどうれんせい》』！　既存の基礎的な共用魔法の形に囚《とら》われない、魔法運用技術と魔法陣構築から作り出される他者に真似《まね》できない唯一無二の魔法のこと！　そもそもマギアに頼った汎用魔法を使う方が便利な今の時代に魔導錬成《まどうれんせい》を作り出すことは紛れもない『天才』の証《あかし》！」

「アン相変わらず長い！」

「今語らなくていつ語るのです！　これぞ『不遜の太陽』と呼ばれるクラリッサお姉様を魔導戦三位まで押し上げた代名詞！　その名も――――」

アドレーと対峙《たいじ》するクラリッサが髪を払って、起動句《トリガーワード》を高らかに謳《うた》う。

「覇壊す赤爛《ラスピネルラ》！」

それは、剣だった。

燃え盛る炎の色。それを束ねたかのような三つの巨剣。まるで惑星の周囲を回る衛星のように、赤い剣がクラリッサの周囲を旋回している。

アドレーが眼鏡を押し上げて、その剣の輝きに目を細めた。そして爪先を僅かに動かす。その動きを逃げの一手と見たのか、クラリッサが微笑《ほほえ》む。

「そちらからは来ないのかしら？　なら、わたくしが、そちらに行こうかしら」

かつん、とクラリッサが踵《かかと》を鳴らし足を進める。その足取りは今が戦闘中であることを忘れる程に優雅で、余裕に満ちていた。その動きに追従するかのように、周囲の刃もクラリッサの周囲をゆったりと回る。

アドレーが様子見を兼ねてクラリッサの横に回り込んで剣を振るう。剣の旋回はゆっくりだ。その間隙を縫って攻撃することも不可能ではないだろう。

「ありきたりね」

だがそんなもの予見していたとばかりに、旋回していた剣が瞬時にアドレーの剣を受け止めた。そして、一拍と置かず次の剣がアドレーの胸元を狙う。

素早くクラリッサからは離れたが、魔力刃の切っ先がアドレーのネクタイをかすめて、僅かな切れ込みを入れていく。

「何かしたかしら？」

ならば、とアドレーが足元を蹴って、再び土煙を舞わせる。視界を封じて、その隙に死角から攻撃しようとしたのだ。

足音を殺して、クラリッサの背後に忍び寄ると剣を振るう。しかし、再びどこからか剣が土煙を切り裂いて現れ、アドレーの攻撃を弾いてしまう。

「ダンスのお誘いなら、もう少し情熱的なのが好ましいわね」

今のスピードだと剣の防御を抜けない、とアドレーは結論付ける。ならば、とアドレーはエルゼント・ブレイドを逆手に持ち変える。

そして大きく振りかぶり、思いっきりクラリッサに向けてぶん投げた。

唯一の武器を投げ捨てるという悪手。しかし、だからこそクラリッサの不意をつけるのではないか、という判断だった。

「悪いけど、わたくしの魔法を勘違いしているわね、貴方」

旋回する魔力刃は、またもや容易《たやす》くエルゼント・ブレイドを弾き飛ばした。からんからん、と剣が転がっていく。

「この剣を、わたくしは操作していない。自律して動き、わたくしに害するものを全て斬る。言うなれば、わたくしを守る三人の騎士」

クラリッサが、ゆっくりとアドレーへと歩みを進める。

「誰もわたくしを止めることはできない。わたくしに触れることはできない。わたくしと言う高みには至れない」

覇道を行く王の如《ごと》く。赤く燃える日輪の如く。その歩みは何者にも阻まれない。

ただ彼女は決められた勝利《ラスピネルラ》という道を歩くだけ。

「それこそが、わたくしの覇壊す赤爛。……さて、貴方はわたくし相手にどう踊るのかしら?」


　そして、クラリッサはまた一歩足を進める。

　その様子を観客席で見ていたセレナが表情を強張《こわば》らせ、薄く唇を噛《か》んだ。

「……魔導錬成《まどうれんせい》」

　セレナとクラリッサの魔導戦では見せなかった魔法。いや、そもそもセレナはクラリッサにマギア『ディアフランメ』すら使われていない。すぐ近くにいるはずなのに、あの二人の距離がひどく遠く感じる。

　そもそも、自分があのクラリッサに勝つことなんてできるのか。そんな思いがセレナの胸中を支配する。

　だが、その中でぽんと背中を叩かれて、セレナの顔が上がる。

「不安かい?」

　声をかけたのは隣に座っていたユフィールだった。彼女は労《いた》わるようにセレナに問いかけてくれたが、セレナは上手《うま》く言葉を返せない。自分の気持ちをどう表していいかわからなかった。

　ユフィールはそんなセレナの気持ちを見通したかのように、ゆったりと言葉を続ける。

「不安なのは良い。けれどね、この戦いを見ないのは勿体《もったい》ないなぁ。なにせ、君の『先生』の実力が、これからわかるんだからさ」

「先生の、実力?」

おうむ返しのセレナにユフィールは楽しげに笑ってから、スッとその作り物めいた虹色の瞳を細めた。

「ま、見てなよ。この勝負、ここからが本番だよ」

◆

『覇壊す赤爛《ラスピネルラ》』

自律し自在に動き、主を守る三つの魔力刃。硬度、精度と共に申し分なく、隙が無い魔法。ほとんどの攻撃は魔力刃が弾《はじ》き、射程内に敵がいれば魔力刃は相手を狙い続ける。

細かい条件付けを試したわけではないが、恐らく普通に戦ってパッと思いつく弱点は全て潰しているのだろう。

そも、魔導錬成《まどうれんせい》とは『他者では再現不可能な術者固有の魔法』の総称である。魔法が研究され始めて、気が遠くなるような時間が流れた。今では魔導錬成《まどうれんせい》一つ作り出すのに、気が遠くなる労力と、とんでもない才能がいる。その道の研究者が半生をかけても作れない魔導錬成《まどうれんせい》をこの歳で持つということが、クラリッサのとてつもない才能を示していた。

「……おっと」

「あら、もう逃げるのはおしまいかしら？」

どん、と背中がフィールドの壁にぶつかった。目の前には槍《やり》を片手にゆっくりと歩み寄るクラリッサと、その周囲を自在に旋回する三つの魔力刃。逃げ場はなく、武器も先ほど投げてしまったので手元にない。

「フッ、袋の獅子《しし》と言ったところね」

「追い詰められてるほう、強すぎない？」

「わたくしは獅子を狩るのにも全力を尽くすわ」

「慣用句に使われる動物がやたらと強いのは何なの？　覇王？」

「天上天下わたくしより上位の存在はいないわ」

「え？　でも順位戦三位なんだよな？」

「天上天下わたくしより上位の存在はいないわ」

「え、いやさ……」

「天上天下わたくしより上位の存在はいないわ」

「あ、はい。続けていいよ」

「いつか勝つからいいのよ」

「そう……」

無限ループに入りそうだった。

「天上天下わたくしより上位の存在はいないわ。けれど、獅子だけは認めてあげてもいいわ」

「ああ、強い動物だからとか？」

「たてがみが柔らかそうで好きなの」

「めちゃくちゃ個人的理由だね！」

余裕の表情で語りつつ、歩みを進めるクラリッサだったが、覇壊す赤爛《ラスピネルラ》の射程に俺を捉えるまであと一歩と言うところで足を止める。

「降参、しないのかしら」

「うん？」

「貴方《あなた》の勝ち目はもうないわ。わたくし、弱者をいたぶる趣味はないの」

「それで俺に大人しくキミの召使になれと？　それはちょっと嫌だなぁ」

「貴方が望むならそんな条件破棄してもいいわ。もちろん、代わりの条件は提示するけど」

代わりの条件？

俺が首をかしげると、クラリッサは今までの苛烈な雰囲気が嘘《うそ》のような静かなトーンで口を開いた。

「生徒会の顧問をやめなさい。そして、セレナの『先生』としての立場もね」

それは、とても奇妙な提案だった。だってそれは「セレナに強くなってもらっては困る」とでも言いたげな提案だったから。クラリッサの表情は酷《ひど》く静かで、そこから感情の色は感じられない。いったい本意は何なのかわからないが、冗談や煽《あお》りで言っているわけではなさそうだった。

本気で彼女は「セレナ・ステラレインという少女が強くなる可能性」を潰そうとしていた。

「迷う余地はないはずよ。武器《マギア》もなければ、逃げ場もない。そんな貴方にある未来は敗北のみでなくって?」

それとも、とクラリッサが続ける。

「まだ見せていない、『奥の手』でもあるのかしら?」

奥の手、ね。まあ、なくはない。なくはないが……。

「使うまでもないかなぁ」

「……なんですって?」

……うん、かかった。

「貴方、わたくしの覇壊す赤爛《ラスピネルラ》を前にして、手を抜いてるだなんて言わないわよね。わたくしを侮っているの?」

「いやいや、んなことないって。覇壊す赤爛《ラスピネルラ》は間違いなくいい魔法だよ」

よし、ちょっとプライドを傷つけたな。もうちょっと怒って噛みついてくるかと思ったが、思ったよりも冷静だ。なら、もうちょい仕掛けておくか。

俺はまず眼鏡を押し上げて、笑みを作っておく。

「使われている魔法陣の基礎はアルノー方程式だな。七年前くらいに自立泥人形《ゴーレム》に使われてるのを見たことがある。でも魔法陣に刻まれた術式を見る限りだいぶ調整してるね。参考にしたのは可変の輝剣《シュグレマ》ってところか。古い魔導錬成《まどうれんせい》だが、キミくらいになればアウロラの書庫、カンナギ学舎『図書委員会』の方で術式が見れるのかな。だがあれにはここまでの汎用性はなかった。なぜならあれは『無数の剣を浮遊し動かせない』という弱点も存在したからだ。空中で浮かせている時にそれぞれが干渉して邪魔をしてしまっていた。けれど、キミの魔法は同時に三本の剣を動かしている。なるほど、『魔導錬成《まどうれんせい》』に認められたのも納得だ」

「……随分、詳しいのね。調べてきたの？」

「さて、どうだろうね」

煙《けむ》に巻くように答えると、スッとクラリッサの目が細くなる。大抵の魔導錬成《まどうれんせい》持ちはその術理を暴かれるのを嫌うが、クラリッサも例に漏れずそうらしいな。

「ただの時代遅れの『騎士』じゃないわね、貴方。何者？」

「ただの一介の『先生』だよ。採用されたてのね」

言って、眼鏡を外す。軽く振って眼鏡を畳むと胸のポケットに引っかけて、軽く目に魔力を通す。

「君はまだ俺の生徒というわけではないけど、まあ軽く体験だけしていくって形で……」

肩を軽く回す。拳を握って調子を確かめる。そして、流した魔力で目にある『術式』を起動させる。

「さて、先生らしく――講義を始めようか、クラリッサ・フォルテ君？」

フッとクラリッサが不敵に笑った。

「わたくしに講義を？　この状況でまだそんな眠たいことを言える度胸だけは認めてあげるわ」

そして足を進める。無敵の魔導錬成《まどうれんせい》の射程に俺の姿が捉えられる。

確かに、覇壊す赤爛《ラスピネルラ》は強い。

自律制御の剣の群れ。本人の高い魔力量のおかげで異様な硬度を持つ魔力刃。

近づけば剣に切り刻まれ、遠距離攻撃を選んでも片っ端から剣に防がれてしまう。持久戦をしようにも、クラリッサの魔力量なら先に音を上げるのはこちらの方だろう。

超攻撃的に見える魔導錬成《まどうれんせい》だが、その本質は『防御』。

彼女を取り巻く堅い剣の守護こそが、あの魔法の強み。

「だからこそ、弱みも同時に見える」

俺が射程内に入ったことで自動的に三つの刃が俺を襲う。第一の刃を受け止めれば、その隙を狙って第二、第三の刃がタイミングをずらして敵を狙う。自律制御だからこその隙の無いコンビネーション。

でも、ただ自律して動くだけではこうまで相手を追い詰めることはできない。相手の動き方次第では空中で自分の剣同士がぶつかって、隙が生まれてしまう。

では、どうやってお互いの剣が邪魔にならないように動かしているのかだが……答えは、恐らくすごくシンプルだ。

「解析《アナライズ》──騎士の瞳《ルクス・アウディオ》」

きぃん、と瞳が淡く輝き、騎士の魔法が起動する。そして、見える。身の丈にも迫る三つの巨剣の柄《つか》の部分にある細い糸のようなものが。

これがクラリッサの魔導錬成《まどうれんせい》のからくり。彼女の周囲を旋回する剣は、この細い魔力の糸のレールを高速で滑っていたのだろう。剣だけではなく、このレール自身も自在に動き続けることで、他の剣との接触を防ぎ、自在な防御と攻撃を可能にしていたのだ。

そこまでわかれば後は簡単だ。止めるべきは剣ではなく、このレールの方。ここに指をひっかけて、少しズラすだけでいい。

そうすれば、こうやって剣の接触しない空間が生まれて、あとはそこから──

「──覇壊す赤爛《ラスピネルラ》の中に入ればいい」

「……は？」

クラリッサが一瞬、呆気《あっけ》にとられたように目を見開いた。だが、すぐに正気に戻ったのか槍での突きを俺へと向けてくる。

その隙は、瞬き一つくらいだろうが、戦闘中には致命的な隙だな、それは。

突かれた槍の穂先を拳で逸《そ》らして、そのまま腕で絡めとる。槍を起点に身体《からだ》を反転させつつクラリッサを引き付けると、空いた片手を手刀に変えて、バランスの崩れたクラリッサの首元に添えた。

「──」

「勝負あり、でいいかな？」

「……一応言っておくと、わたくしの魔力レールをずらしても生まれる隙は一秒もなかったはずなのだけれど」

「なら俺は運が良かったらしいな」

「……涼しい顔で入って来たくせによく言うわ」

俺の手刀はただの手刀だ。なんも特別な魔法をかけてないし、ここから撥《は》ねのけようと思えば簡単にできる。事実、クラリッサはそうすると思っていた。

「……フッ、降参するわ。わたくしの負けだわ」

だが、意外にもクラリッサはあっさりと自分の負けを認めた。

「いいのか？　もうちょいごねたりしてもいいんだけど」

こう、俺としては『貴方のような木っ端の手刀などではわたくしの首は傷つかないわ！』みたいな反応を想定してたんだが……。

そんな俺の予想に反して、クラリッサは胸を張った。

「わたくしを誰だと心得るの？　メドフラム学院のクラリッサ・フォルテよ？　わたくしを追い詰めた強者を認めないことは、わたくし自身の品格を落とす。故に、わたくしはわたくしのために、敗北を認めるのよ。おわかりかしら？」

「まあ、なんとなくおわかるようなおわからないような……」

「フッ、わたくしの領域《レベル》に達するにはまだまだ、ね」

「あれ、クラリッサは今、負けたんだよね？」

なんか俺に追い詰められた状態ですげー偉そうにしてるの、めっちゃギャグっぽいんだが、気にしないいんだろうか。

なんとなく毒気を抜かれたので手刀の構えを解いて槍を放してやると、クラリッサも魔法を解除し、『ディアフランメ』をもとのイヤリングの形に戻した。

「貴方、お名前は？」

「自己紹介なら何回かしたんだけどね」

「忘れたわそんな昔のこと。わたくしは今、わたくしに勝った認めるべき相手に、名前を問うてるのよ」

「それは、光栄だね」

俺は胸ポケットに入れていた眼鏡をかけ直すと、手を差し出す。

「アドレー・ウルだ。エルビス学園の新任教師で、生徒統括委員会の顧問」

「そう。わたくしはクラリッサ・フォルテ。特別に貴方には『クラリッサ様』と呼ぶ権利をあげてもよくってよ」

「俺が年上なんだけど？」

「そこを差し引いて……わたくしの方がギリ上よ」

「今俺が戦いに勝ったのに!?」

「あら、そうだったわね。なら呼び捨てでもよくってよ」

俺が声を上げると、クラリッサは口元を隠して、ふ、と微笑《ほほえ》んだ。

「侮っていたのはわたくしの方だったみたいね。ごめんあそばせ、アドレー？」

「それでもまだ呼び捨てかぁ」

そして俺の差し出した手を握ってくれる。歳《とし》にしてはやや硬い、鍛錬の跡を感じられる掌《てのひら》だった。

その後、理事長に手を上げて戦いが終わったこと知らせると、理事長が遠くで頷《うなず》いた。

よし、とりあえずこれで大丈夫だろ。

「それで、わたくしが貴方の生徒になればいいのだったかしら？」

「ん？」

「わたくしが勝ったら貴方は召使い。貴方が勝てばわたくしが生徒会に入る。そういう条件だったでしょう？」

あー、そういえばそんな話だったな。

眼鏡を押し上げつつ、うーんと唸《うな》って腕を組む。理事長がしてくれてた提案だったから、特に否定はしなかったが……。

「うーん、そっちの条件の方はべつにいいや。俺は何も求めないよ」

クラリッサが眉を吊《つ》り上げる。どういうことだと顔にありありと書いてあった。

「貴方はわたくしに生徒会に入ってほしいんではなかったの？」

「そりゃあね。でも、それは俺がやるんじゃ意味がないなぁって」

俺はセレナ・ステラレインを立派な魔導師にすると約束した。

そのためにできることはやるし、彼女が強くなった結果、誰からも認められる生徒会長になれればいいと思うけど、それは彼女自身の手で掴《つか》むべきものだ。

「だから、クラリッサが俺の生徒になるのは、ステラレイン君がキミに勝つ日まで取っておくとするよ。名残惜しいけどね」

いつか、セレナ自身が認められた時に、クラリッサに生徒会に来てくれたらって、そう思う。

「……」

……あれ、クラリッサ？　どうした？　急に黙り込んで？

「セレナを随分高く評価してるのね」

「え、まあ、俺の生徒だし？」

俺の答えにクラリッサは「そう」と短く相槌《あいづち》を打つと、視線をどこか遠く、俺の背後の観客席のあたりに向けた。

「――そういえば最近、魔導都市《アウロラ》の近くに魔物の変異個体が出ているわ。それも一体や、二体ではない。知ってるかしら？」

変異個体。普通の魔物が『成る』――なんらかの外的要因で進化する魔物の総称だ。俺やセレナがこの前出会った魔竜《ドラゴン》ノクスも変異個体だ。

「前から時折変異個体は出ていた。けれど、最近のペースは異常よ。そもそもアウロラにはユフィール・ゼイン学長の大規模結界があるから、強力な魔物が生まれにくいのにもかかわらずね」

クラリッサは今の魔導都市の状況を淡々と語っているが、何故《なぜ》急にそんな話をし始めたのかだけは摑めない。

「理事会はこの状況を、何者かが魔物を魔導都市に手引きしているのではないか、と考えているわ。簡単に言うと、裏切り者がいると疑っているのね」

「えーと、つまりクラリッサは何が言いたいの？」

俺はこの都市に来たばかりで、そこら辺の事情に詳しくないから、説明してくれるのは助かるけど、なんで急にそんなことを教えてくれたんだろうか。

「そう不思議そうな顔をしなくても、この話はちゃんと貴方《あなた》と関係のある話に帰結するわよ」

俺の疑問など、お見通しであるかのようにクラリッサが前置く。

そして、す、と手を上げて俺の方へ指をさした。いや、違う。指しているのは俺じゃなくて、俺の後ろにいる誰かだ。

俺が振り返ると、そこには観客席から下りて俺たちのもとにやってこようとしていた少女がいた。

「疑われているのは、セレナ・ステラレイン。なにせ、あの子は人類最大の裏切り者『魔王の右腕』の妹なのだから」

燻《くすぶ》る煙はいつも、俺に時間の流れを感じさせる。

学園の屋上から眺めるアウロラの地平線の果てには、太陽がゆっくりと姿を隠しつつある。昼と夜の狭間《はざま》。一日の中で最も短い光の残滓《ざんし》が見える時間。

「こんなところ、ステラレイン君に見られたらまた小言かね」

「おや、では代わりにボクが小言を言おうか？」

「遠慮する。お前が言うと小言じゃなくなる」

「では睦言《むつごと》が良かったかな？」

「冗談でもやめろっての、学校だぞここ」

「学校じゃなければいいのかな？」

「んなわきゃねーだろ」

俺の呟《つぶや》きに応えたのはユフィ。仕事終わりに俺が屋上で煙草《たばこ》をふかしていたら、いつの間にか隣にやって来た。煙草を吸うわけでもないのに、いつものように愉《たの》しそうに笑いつつ、俺の横顔を見ていた。

「しかしアドレーも悪い男だ。ボクという魅力的な女性がいるというのに、他の女の名前を出すなんて」

「女て。ステラレイン君は生徒だ、女じゃない。むしろ、俺としては勤勉な先生になったと褒めてほしいくらいだがな」

「ふむ、よく口が回るね。誰に似たのか……」

「知んねーけど、昔パーティで旅してた時に四六時中一緒にいた、偏屈長生きエルフのせいじゃないのかね」

「おや、つまりアドレーはボク色に染まっている、と。それは悪くないね」

「いや、お前な……まあいいわ」

言い返そうかと思ったが、楽しそうに笑うユフィに、毒気が抜かれた。こいつはこんなくだらない言い争いすら楽しんでいる。機嫌良いなら俺もいいけどさ。

でも、ユフィが来てくれたのは幸運だ。ちょうど俺も聞きたいことがあったんだから。

咥《くわ》えていた煙草の火を捩《ねじ》り消すと、薄く残った紫煙を吐き出してしまう。そして沈む日に目を向けたまま切り出した。

「最近アウロラの近くで魔物の変異種が増えてるってのはマジなのか」

「否定はしないよ」

「じゃあアウロラに裏切り者がいるってのもか？」

「そちらも否定はしないよ」

「じゃあ、その裏切り者として疑われているのがステラレイン君ってのも、本当なのか？」

「……どこで聞いてきたんだか、そんなの」

「ユフィ」

「あーあー、わかったわかった。そう怖い顔しないでよ、答えるさ、勿論《もちろん》ね」

ユフィは腕を組むとわざとらしくため息をついた。

「セレナを疑っているのはアウロラ理事会の連中だよ」

「理事会って言うと、アルバ理事長たちか」

「そ」

ユフィは小さく頷くと、「というか」と前置いて肩をすくめた。

「そもそも今疑われているのはエルビス学園でもあるんだよね」

「エルビスが？」

「半年くらい前からかな。アドレーが言うように、都市の周囲に時折魔物の変異種が出るようになった。前からまるで出なかったわけではないけど、半年前からは格段にペースが上がってるんだよ。で、その原因は何かって話が定例の理事会で出たわけなんだけど……」

「けど？」

俺が続きを促すと、ユフィはお手上げとばかりに手をひらひらと振った。

「困ったことに答えは出なかった。まあ、推理するための情報が足りなかったんだね。ただ、その話し合いの中で上がった疑念があったわけだ」

「それが、ステラレイン君のことか」

ユフィが肩をすくめた。どうやらそう言うことらしい。

「彼女はちょっと、疑う理由が多かったからね。その感じだと、君ももう知っているんだろう？」

「……まーな」

「ただでさえ恨みを買いやすい立場だ。セレナの血筋に関してはボクも隠していたんだけどね。はてさて、どこで漏れたのか……」

「一般の生徒とか先生方は知らないっぽいのが不幸中の幸いか」

セレナ・ステラレイン。人類最悪の裏切り者『魔王の右腕』、その妹。疑われるのは当然だし、アウロラで怪しい人物を挙げるとすれば彼女に行きつくのも仕方ないのかもしれない。

「けど、そもそもステラレイン君がそんなことをして、何の意味がある？　ここはアウロラだぞ？　世界上位の魔導師たちの人外魔境でわざわざそんなことをする意味ないんじゃねえか」

俺ならアルバ理事長とか、ユフィがいるところでそんなことしたいなんて思わないが。

「必要なのは意味ではなく、疑っていい理由さ。そういう意味で、ウチは怪しすぎる。ほら、ボクもエルフだしね」

戯《おど》けるようにウインクをするユフィだが、俺としてはイマイチ釈然としないものがある。

「ユフィは人類を裏切らないだろ。それに、なんで外部じゃなくて内部を疑ってんだ」

「――――」

「あん？　なんだよ、そんな顔して」

なんだかユフィがぽかんとした顔をしていた。束の間《つかま》、虹色の瞳の中で光がゆらゆらと揺れたようだったが、すぐに穏やかなものへと変わる。

「ふふ、そうだね。なんともアドレーらしくて嬉《うれ》しいけれど、残念ながら他の学校はそうは思わないみたいだね」

自分が疑われているというのに、ユフィはなんだか少し嬉しそうだった。

「そもそも、アウロラにボクが張った結界は特別性なんだよ」

なんだか機嫌のいいユフィは自分の結界について語る。

曰《いわ》く、アウロラを覆う結界は非常に強固なもので、魔物発生阻害の術式が組み込まれており、結界内のアウロラに魔物が生まれることはない。

さらに、結界外であってもその効果は多少影響し、魔導都市の近くに強力な魔物は生まれにくい。

「この結界は人魔大戦が終わってから、ボクが一年かけて作ったとびっきりだ。外部からの干渉なんかで揺らぐようなものではない」

「だから内部に裏切り者がいるって？」

「ま、そういうわけ。それも絡んで、今アウロラの学校の足並みはあんまり揃《そろ》ってないんだよねぇ。どこも、他校が疑わしくて仕方ないのさ」

なんとなく、今の魔導都市の状況が見えてきた。

おそらく、今のアウロラは混乱の中にある。表向きにはそうは見えないが、変異種の魔物が増えていることがその原因。

そしてその魔物が増えた背景には、アウロラ内にいる裏切り者が絡んでいて、その裏切り者として疑われているのがセレナ、ひいてはその所属するエルビス学園。

そして、それがおそらくセレナ以外の生徒会役員たちが生徒会を去った理由……と言ったところだろうか。

あくまでも俺の推測でしかないが、たぶん大きくは間違ってはいないだろう。

海の向こうに日が沈む。誰もが微睡《まどろ》む夜の時間がゆっくりとあたりに訪れ始めていた。

がりがりと頭をかいて、俺は今日一番大きな嘆息を一つ。

「ユフィ、お前なんでこんな時に俺を呼んだんだよ」

「いつか言ったろう？　君らしく、教師をやってほしいのさ、ボクはね」

「ほんっとーにそれだけか」

「ああ、もちろんだとも」

俺はユフィの真意を問うためにじっと彼女を見つめる。ユフィはそんな俺の視線を受けても手すりに寄りかかって、いつも通りどこか摑みどころのない笑みで、俺の視線を受け止めた。

数秒、もしくは数分の間俺たちはそうしていたが、気まぐれに吹いた風がユフィの銀の髪をすくってさらりと揺らしたタイミングで、俺の方から視線を外した。

だーめだ。こうなったら自分の話したいこと以外話そうとしねえんだ、この偏屈秘密主義者は。

俺は胸ポケットに入れてある煙草の小箱を取り出した。

「吸っても？」

「ふふ、好きだねぇ。昔に比べると増えたかい？」

「悪いかよ」

「いいや？　ただでさえ短い瞬きのような寿命を縮めようとする劇物を嗜好品《しこうひん》とするキミたち人間の挑戦心は大好きさ」

「そこまで言うならもうはっきりと嫌いって言え」

返答がツボにはまったのか、ユフィが虹色の瞳を細めてからからと笑う。

そんな彼女をよそに、俺は取り出した煙草をとんとん、と箱にぶつけて葉を詰めると、咥えて火を点《つ》けた。

「アドレーのその仕草、変わらないね。ふー」

ユフィが息を吐くと、漂っていたうすぼんやりとした白煙と混ざるように夜の気配に溶けていった。

その様子を見つめながら、ユフィは「そうそう」と思い出したように口を開いた。

「好き、っていうのは本当さ。あくまでも、アドレーが吸う姿に限るがね」

そう言ってユフィは、ふ、と微笑《ほほえ》んだ。ちょっぴり、いつもより子どもっぽい笑顔。

いつもの大人っぽくて摑《つか》みどころのないユフィとは違う雰囲気。

そして彼女はどこからか煙草の入った小箱を取り出すと、俺に見せつけるように軽く振った。

「ユフィって昔も吸ってたか？」

「誰かと一緒にならら、ね。さあ、火を頂戴よ」

「ライターなら……うおっ」

ユフィが急に一歩踏み込んで俺のネクタイを摑むとそのままぐっと顔を俺に——正確には、口元にある煙草に近づけた。

まるで恋人同士の逢瀬《おうせ》が行われるような距離間で、視界いっぱいが銀色の髪とまぶしいほどの白い肌で埋め尽くされる。

「……そういうの、誰にでもすんなよ」

「まさか。キミくらいしかボクの周りに吸う人間はいないかな」

じじ、と煙草の熱が伝わり、ユフィの煙草の先を赤く染めた。

ユフィは煙草に火が点くと、普段吸っていないのが噓《うそ》かと思うほど、絵になる仕草で煙を燻《くゆ》らせた。そして、久々の味を嚙《か》み締めるように目を閉じる。

「うん、悪くない。アドレーがいると、こういう楽しみもできる」

ぱちり、とユフィは片目だけを開けて、俺を上目遣いで見る。

「信じるべきは何なのか、ちゃんと自分で見極めなよ少年」

そして、冗談めかした語調で言葉を続けながら、にやっと笑った。

――たとえ、相手が誰だとしても、ね。

虹色の瞳だけは、試すように、じっと俺を見つめたままだった。

◆

空を飛べたことは自分の最大の幸福だったと思う。

セレナは、常々そう思う。

空を飛ぶのは好きだ。縛るものがなく、吹く風だけが傍《そば》にある。

何も考えずに飛んでいると、空と自分の境界があいまいになっていくようで、その感覚が好きだった。

「よーし、ステラレイン、合格。お疲れさん」

「はい、ありがとうございます」

午前の授業、月に一度の飛行訓練を終えたセレナは、指導教官に頭を下げる。

アドレーではない、以前からいるエルビスの教師の一人だ。

「相変わらずこれは優秀だな。その調子でがんばれよ、最近研究室にも入ったみたいだしな」

「……はい、頑張ります」

空から降りると、思い出す。自分にできないことがあることを。自分を縛るものがあることを。

だから、空を飛ぶのは好きだけど、それと同じくらい、嫌いでもあった。

「会長ちゃんじゃあね～」

「はい、また」

午前の教養科目が終わり昼の時間になると、教室の中は人がまばらになる。午後からの魔法講義はそれぞれの先生の研究室で行われるためだ。教室に残るのは講義が休みの生徒か、堂々とサボる勇気がある勇者くらいだ。もしくは、どこの研究室にも入っていない落ちこぼれ。

（……と言っても、そんなの私しかいなかったけど）

前までは教室に一人残ってただ愚直に教本を覚えるしかなかった。けど、少し前からその時間には変化が生まれた。

教室を出て階段を二つ上って、長い廊下を歩いて、三度曲がった奥の奥。学長室と廊下一つを隔てた古びた空き教室だった部屋。新しくできた、セレナが来てもいい場所だ。

ちらりとカバンの中に朝準備したものがあるか確認すると、セレナは小さく咳払《せきばら》いをする。喉の調子を整えると、努めて静かなトーンで声をかけつつノックを二つする。

「先生、私です」

呼びかけてから「私です」では誰だかわからなくない？　と思ったものの、そんな心配は無用だったらしく「開いてるよ～」という緩い声が帰ってきた。

「私です」だけで伝わったことが、なんとなくくすぐったいような気持ちになるが、呼吸を落ち着けると、扉を開ける。

「やあ、ステラレイン君。午前の授業お疲れさん」

セレナが部屋の中に入ると、壁際の机で書類を睨《にら》んでいるどことなく緩い雰囲気の男性が一人。

自分で切ったのだろう、適当に切りそろえられた黒髪と、力の入っていない目を隠す黒い眼鏡。一応アイロンをかけましたと言うかのようなワイシャツの首元にはこれまた緩いネクタイ。

すん、とセレナが鼻を鳴らすと部屋の中に薄く漂う煙草《たばこ》の香り。煙は見えないあたり、今吸っていたわけではなさそうだが……。

セレナがジトーっとアドレーを睨む。

「先生、また煙草を吸われていましたね？」

「いやこれは吸ってたわけじゃなくて火を点けてふかしていただけというか……」

「それ、原則禁煙のこの学園で煙草を吸っていた件の申し開きになりますか？」

「まったくもってステラレイン君が正論を言っているから言い返せないけど、だからと言ってステラレイン君が勝ったと思わないことだ」

「何と戦っているんですか、先生」

アドレーのだらしない服装に、はあとセレナがため息をついた。

ずいっとセレナがアドレーに一歩踏み寄る。アドレーが目を逸《そ》らしつつ一歩身を引こうとするが、それよりも早くセレナはアドレーのネクタイを掴んだ。

「あー、俺はサンドバッグじゃないから、そこのところを考慮してもらえると……」

「なんでそんなことしなきゃいけないんですか。ネクタイを結ぶだけです。せめて、ネクタイくらいはちゃんと締めましょう、先生」

「いや首元苦しいのは苦手というかさ——いや、首が絞まるって！　ステラレイン君!?」

「動かないでください、締めにくいです。というかこれくらい普通です」

あまりのだらしなさに、思わずこめかみを揉《も》むセレナ。こういう人だとはわかっていたけれど、出会った時からアドレーは変わらない。

だらしなくて、あまり真面目ではなくて、のらりくらりと掴みどころがない。でもふとした時に見透かしたようなことを言ってくる。

こういうところが苦手で、それと同じくらい、嫌いになりきれない。それはちょっとずるいと思う。

アドレーは大人しくセレナにネクタイを結ばれていたが、その手際の良さに感じることがあったのか片眉を上げる。

「上手《うま》いね。家族にでもやってあげてた？」

セレナの手が一瞬止まる。だが、すぐに何でもなかったかのように動き出す。

「まだ兄が家にいたころに少し。もうずいぶんやっていませんけど」

「仲良かったんだな」

「べつに普通です。普通の、兄でしたよ」

少なくともセレナにとっては、普通の兄だった。変わらずに、兄のままだった。

アドレーは「そっか」と短く答えると、壁にかかった時計に目を向けた。

「ステラレイン君、昼飯は？」

セレナがちらっと自分のバッグに目を向ける。

「一応、お弁当を持ってきています。先生は今日もパンですか？」

「まーね。ただ、今日は今から買いに行こうかと思っていたんだけど」

ふむ、とアドレーが腕を組んだ。そして、目を細めてニヤッと笑う。

「せっかくだし、一緒に外出て食べない？　部屋にいると肩が凝るんだよ」

「え、でも魔法講義の時間が……」

「それも外でやればいいさ。俺がついてるなら魔法は使えるし、課外実習みたいなもんだよ」

「でも、それは流石《さすが》に――あ、先生!?」

言うが早いか、最低限の荷物を持って研究室を出ていくアドレーをセレナは慌てて追いかける。

学園を出て、アドレーはアウロラの道をすいすいと歩く。増築に増築を重ねたアウロラの道はやたらと入り組んでいて、来たばかりの人は迷うことも多いのだが、アドレーはその例に当てはまらないようだった。

「おや兄さん今日も仕事をせずにぶらついてるのかい？」

「人聞きが悪いな。ちょっと昼飯を買いに来ただけだって」

アドレーは商店街の人と挨拶をして、馴染《なじ》みらしいパン屋のおじさんに声をかけて二つほどパンを買っていた。

「おう兄ちゃん、後ろのはまさか……」

「生徒だよ、生徒。変な勘繰りよしてくれよ、ガレットさん。俺が捕まるところみたいのかよ」

「ウチの常連一人無くすのはもったいねえなぁ。なら目をつぶっておくか」

「うーん、自分がこの店の常連であったことを、今日ほど感謝した日はないぜ」

その様子にセレナが少し感心したように隣を歩くアドレーを見る。

「来たばかりなのに、随分街の方と親しいんですね」

「んー？　まあここらへんにはよく買い物に来るしね」

買ったパンの包みを手に持って、ほらとアドレーが指をさす。

「ほら、ステラレイン君と初めて会ったのもこの道の通りをずーっと行ったところだったろ？」

「そ、その時のことは忘れてください！」

「おっと」

からからとアドレーが笑い、そんなアドレーをセレナはジトーっと睨んだ。

「んー、いい風だなぁ」

アドレーとセレナは買い物をしながらしばらく歩き、商店街を通り過ぎて、坂を上った先にあった小高い公園に腰を落ち着けた。

高く伸びた木々が昼の強い日差しを遮り、古びたベンチが二つほど並んでいる様は、どこか秘密基地のような趣があった。

「アウロラにもこういうところあるんだなぁ。人工浮島って言うからこういう自然っぽいのは最小限かと思ってたよ」

「アウロラは確かに人工の都市ですが、元となった大地は昔とある大陸にあった大地を魔法でえぐり取って、ここに運んできたそうです。だから、一部の自然もそのままなんだと思います」

「大地を丸ごとか、すげースケールだな」

感心した様子のアドレーは目前のエルビス学園自治区の街並みを見渡す。入り組んだ道と、家の上にある玄関。目に染みるような青い空には生徒たちが飛び交っている。アドレーの知らないアウロラの当たり前の景色。

「……十二年か」

「先生？」

「独り言。さ、飯でも食おうぜ」

懐かしむような呟《つぶや》きだったが、アドレーはその言葉の意味を明かすことはなく、ベンチに座り紙袋からパンを取り出すとがぶりとかじりついた。

「……あ」

「うん？」

「いえ、なんでもありません」

アドレーが不思議そうに口を動かす中、セレナは一瞬視線をふらつかせて自分のバッグに目を向けた。しかし、すぐに表情を引き締めるとアドレーの隣のベンチに腰かけて、自分の分の昼食を取り出した。

綺麗《きれい》に包装されたサンドイッチ。自分で用意していると、以前セレナは言っていた。

「ふむ」

アドレーがセレナを見て、自分の手の中のパンを見て、次にセレナの膝の上のバッグを見て、またセレナの方を見た。そして小さく「なるほど」と呟いた。

「俺さ、あのおっちゃんの店行きつけなんだよね」

「はい？」

「行きつけなの。うまいからこの街に来てからよく通ってる」

「は、はあ……」

「あの店、おっちゃん一人でやってるから数は出せないけど、冷めてもうまいし、朝食のバゲットなんかも硬いが、その分味が深くて腹持ちがいい。お気に入りなんだよ。だから週に三日は通ってたし、エルビス学園に来てからは基本昼食はあそこで買ってる」

急に切り出したアドレーにセレナが首をかしげる。

「でも、まあこんだけよく食べてたら、ちょっと気分じゃないという時もある」

「……ええと」

「そして、今日はたまたまその気分じゃない日だったりするんだが、ステラレイン君、たまたま、べつに俺が食べてもいいいもの持ってたりしない？」

眼鏡の奥でアドレーの目が細くなる。大人らしくない、まるでいたずらっ子のような顔だ。

「偶然……ええ、偶然ですけど、余分に一つお弁当を作ってきているのですが、食べられますか？」

「お、ほんとに？　いやあ、ついてるなぁ。ありがとうな、ステラレイン君」

無理のある言い訳だったはずだが、アドレーはそれを疑う様子も見せずセレナにお礼を言った。お弁当を取り出してアドレーに手渡しながら、セレナが口をへの字にしてむすっと黙り込む。

「……」

「どしたステラレイン君？」

そのままジトーっとアドレーを睨んで、はあ、と嘆息。

「先生のそういうところ、嫌いです」

「おっと、それは困ったなぁ」

アドレーは、セレナの言葉なんてどこ吹く風でまた笑い、受け取ったサンドイッチの包みを開ける。

作った人の几帳《き》面《ちょうめん》さがわかる、綺麗に包まれたサンドイッチは全部で三つ。薄切りされた野菜とハムのもの、すりつぶしたゆで卵に塩コショウとマヨネーズで味付けしたもの、果実のジャムを塗ったもの。どれも丁寧に作られているのがわかる。とてもではないが、『たまたま』持っていたものではないだろう。

アドレーはサンドイッチを手に取ると、ぱくりと一口。もぐもぐと咀嚼《そしゃく》して飲み込むと、ギョッとアドレーが目を見開く。

「おお、美味《うま》い。すごいな、ステラレイン君！」

「そ、そうですか。たまたま持っていた、趣味の域を出ないものですが、お口にあったなら何よりです」

「いやいや謙遜しすぎだって。これ、俺が今まで食べたサンドイッチでもかなり上の方だぞ……そこらへんの店売りよりも美味いレベル……」

包みを開けた時はちょうどよいと思った三つという数も、食べ終わってしまえばこれだけか、と物足りない気持ちにすらなってしまった。

「いやあ、ごちそうさま。ステラレイン君は料理が上手いんだな」

「べ、べつにふつうです。母から習ったことをしているだけなので」

セレナはアドレーの褒め言葉に、恥ずかしそうにそっぽを向いた。

咳《せき》ばらいをし、表情を引き締めてアドレーの方を向くと、彼の様子が少しおかしいのに気がつく。

「――――」

アドレーがどこか遠くを見ていた。まるでなにかを思い出すように、なにかを懐かしむかのように、なにかを、決めかねているように。

その横顔が普段の緩いアドレーのイメージと結びつかなくて、まるで風に攫《さら》われて消えてしまいそうに見えた。

「先生？」

たまらずセレナが呼びかけると、アドレーがセレナの方を向いた。そして眼鏡を押し上げつつ、たははと笑った。

「ごめんごめん、ちょっとぼんやりしてた」

「……煙草《たばこ》を吸いたい、とか考えられてたんですか？」

「お、バレてたかぁ。流石だな、ステラレイン君」

そう答えるアドレーにもう先ほどまであった空気はなく、そこには出会った時から変わらない、だらしないアドレーの姿があった。

アドレーは膝を叩《たた》いてその勢いのまま立ち上がると軽く伸びをする。

「さて、そろそろいい時間だし、講義を始めようか」

「えっ」

「え、何？」

「いえ、先生から出るとは思わなかった言葉が出て、驚いてしまいました」

「あのね、俺も先生なんだからね」

そう言いつつ、アドレーは眼鏡を押し上げる。

「俺の方針としては、苦手なことの克服よりも得意なことを伸ばした方がいいと思う。俺も魔法習う時はそうしたしさ」

「先生も？」

「そ。俺も才能ある方じゃなかったしね。空飛べないあたり、わかるだろ？」

「順位戦三位のクラリッサに勝った人が言うと、あんまり信頼できない言葉ですね」

「そりゃあ、そこは俺も先生だから。生徒には負けられないよ」

まあでも、とアドレー続ける。

「将来的にクラリッサに勝つのが目標なんだし、ステラレイン君もそこは見据えておいてくれよな」

「クラリッサに、ですか。あの歳《とし》で魔導錬成《まどうれんせい》を作るような子ですよ？　私は魔導錬成《まどうれんせい》の魔の字だって作れそうにないです」

「それは俺だってそうだよ。でも、目指すと決めたんだろ？」

眼鏡の奥のアドレーの瞳がセレナを見据える。なんだか心を見透かされそうで、セレナが目を逸《そ》らす。

「それは……はい。すみません、少し弱気になっていました」

「ん、いいってことよ」

「いくらだらしがない人でも、先生を信じると決めたんです。私も頑張ります」

「それ頑張りますを言う前に、わざわざ俺殴る必要あった？」

だらしがないのは事実。アドレーに否定はできない。

「あれ」

セレナはアドレーと話しながら、今の会話に気になる言葉があった気がした。

「先生って、魔導錬成《まどうれんせい》は持ってないんですか？」

「俺はそこら辺の魔法を作り出す才能が全くなくてさ。残念ながら自作のはないよ」

「でも、先生使ってましたよね、あの変異した魔竜《ドラゴン》『ノクス』と戦う時に」

忘れもしない初めてアドレーが自分の正体を語った日。

アドレーはあの魔竜《ドラゴン》を何らかの魔法で真っ二つに叩き斬っていた。教本で基本的な魔法はあらかた押さえているセレナですら見たことのない魔法だったため、あれは『魔導錬《まどうれん》成《せい》』に違いないと思っていた。

だが、セレナの指摘にアドレーは腕を組む。

「着眼点は悪くないし、似たようなもんだが……あれはちょっと違うんだよな」

「違う？」

セレナが小首をかしげるが、アドレーはひらひらと手を振った。

「まあ俺の話はいいよ。それで、ステラレイン君の一番好きな魔法って何なの？」

あからさまに話をずらされたが、これ以上問い詰めても答えてくれなさそうである。セレナは諦めて、自分の使える魔法の手札を考えることにする。以前研究室でアドレーに命じられて、一通りは見せたはずだが、再確認の意味もあるのだろう。

強化《ブースト》……はあまり得意ではない。射撃《ショット》は魔力を弾に固める感覚が好きになれない。砲撃《シュート》は、割と普通。回復系は、ミスした時が恐ろしい。転移《シフト》は、上手《うま》くいったためしがない。

（……考えるだけで、ちょっと落ち込んできちゃったな）

目も当てられないが、いくつかある魔法の中で得意なものを挙げるのなら、おそらく一つしかない気がしていた。

「やっぱり飛行魔法でしょうか。前言った通り誇れるものではないんですけど」

「いやいや、俺はいいと思うけどね。初めて会った時も楽しそうに飛んでたし、やっぱ飛行魔法には向いてるんだと思うよ」

「か、からかわないでください！　というかそこは忘れてください！」

「おっと」

肩をすくめるアドレー。

「まあ何はともあれ、ちょっと飛んで見せてくれないか？　俺にはわからない感覚だしさ」

「べつに、いいですけど」

セレナはブレスレット型のマギアに手を添えて目を瞑《つぶ》ると、飛行魔法と紐《ひも》づけられた起動句《トリガーワード》を唱えた。

「『浮遊《フロート》』」

きん、と一瞬小さな魔法陣が足元に浮かび上がると、セレナの身体《からだ》がふわりと浮き上がる。そして、そのままスピードを上げて空まで行くと、軽く空中で一回りしてからすたん、と降り立った。ちら、と視線を向けてくるセレナにアドレーはぱちぱちと手を叩く。

「上手いもんだなぁ。俺にはできないことだから尊敬するよ」

「……馬鹿にしてます？」

「純粋に褒めてるんだから、ありのまま受け止めてくれ」

アドレーが頭をかきつつ、空を見上げてうーんと唸《うな》る。

「ステラレイン君はあまり攻撃に向いてないのかもしれないな」

アドレーが事実を再確認するように呟いた。

「ステラレイン君、以前『魔法』とは何かを俺が尋ねた時、君はなんて答えた？」

急な質問に少し不思議に思いつつも、セレナは間を置かずに答えた。

「技術です。人には上手く扱えなかった大気中に満ちる魔力素《マナ》を、マギアを用いてより効率的に扱えるようにした人間の叡智《えいち》の結晶です」

「そうだな。でも、それと同じくらい、神秘でもある」

「神秘、ですか」

頷《うなず》いて、アドレーが待機状態の懐中時計のような形になっている『十三式エルゼント・ブレイド』を取り出した。

「体内に取り込んだ魔力素《マナ》を魔法陣の形で出力する。ここまでは技術。でも、最後それを励起し、魔法を行使するのに必要なのは『意志』の力だ。意志無くして、魔法は成り立たない」

マギアで魔法を使う際の三工程。術式の選択、魔法陣の展開。そして魔法の使用。最後のトリガーを引くのは、意志の部分だ。

「でも、それって当たり前のことじゃないですか？　誰しも魔法を使う時にはそう思ってマギアを使うわけですし」

「だからこそ意識する人は少ない。ステラレイン君もさっき空飛ぶ時に『飛行魔法の魔法陣を起動させるぞ！』とかはあんまり意識してなかったでしょ？」

それは確かにそうだったかもしれない。

「ではここでステラレイン君にアドレー先生からの問題だ。そもそも、なんで俺たち『騎士』は絶滅したと思う？」

「なぜ、ですか」

「前に話した通り『騎士』と『魔導師』の違いは、空を飛べるか否かにある。じゃあ、なぜ『騎士』は『魔導師』になれなかったんだと思う」

アドレーの問いかけに、セレナはしばらく考え込む。今まで覚えた教本の中に答えは載っていない。ならば、これは自分で考えなければ答えにはたどり着けないだろう。

騎士がいつ絶滅してしまったのかは知らないが、アドレーが生きているあたり、それほど大昔のことではないはずだ。そうすると、影響しているのは恐らく……。

「人魔大戦の中ごろに起きた『魔導革命』の影響ですか？　マギアの大幅な性能向上により、魔導師の質も量も上がったと聞いています。その影響で、今まで『騎士』だった人たちも『魔導師』になれた……でも、中にはそのマギアを使いこなせない人もいた、とか」

「八十点。流石《さすが》だな」

「べつに普通ですから。……それで、残りの二十点は？」

ぴ、とアドレーが指を立てる。

「完答は、『飛べる価値観を持たなかったのが騎士だから』だ」

「価値観、ですか」

「うん、そ。価値観」

頷き、アドレーは空を見上げる。目に染みるような眩《まぶ》しい青色だった。

「魔法を使うのに必要なのは『意志』だ。そのためには、空を飛ぶ才能……言ってみれば、人は空を飛べるという認識が必要だったんだよ」

人は本来空を飛べない。翼をもたない人間は地を這《は》うしかなく、それ故に魔族との戦いでは苦戦を強いられた過去がある。でも、魔法技術の発展と共に飛行魔法が生み出され、マギアの改良によってそれは誰でも使える魔法になっていった。

いつしか『空を飛べること』が基本技能になる程度には。

でも、それでも空を飛べない者たちもいた。

「俺の子どものころくらいまでは飛行魔法はそこまで広まっていなかった。王都やアウロラの人間ならともかく、それ以外の土地に住む多くの人間にとって魔導師と魔法は非日常の象徴だったんだよ」

魔法が非日常。当たり前に空を飛び、人口の多くが魔導師であるアウロラに住むセレナには信じられないことだ。

しかし、そうした時代もあったのだろう。

「じゃあ、先生が騎士になった理由って……」

「まあそんなとこ。ガキの頃、魔法なんて見ない田舎にいたのが効いててさ、魔導師にはなれなかった。魔導師になるために王都に出て来てたんだけどね」

あの時は困ったなぁ、とアドレーは笑いつつ眼鏡を押し上げた。

「ま、その後色々あって王都の騎士団に受け入れて貰《もら》えて、色々あって今に至るんだけど
……つまり何が言いたいかって言うと」

「……私が魔法をうまく使えないのは、『意志』の力に問題がある、ということですか」

「まあ、そういうことになるかな」

セレナの言葉をアドレーは肯定する。

「たぶん、ステラレイン君は心のどこかで魔法を使うことを恐れているんじゃないかな。だから、飛行魔法の時以外、極端に魔法が下手になる」

「恐れている……」

そうなのだろうか。アドレーに言われても、自分ではあまりピンとこない。

でも確かに、人を傷付けてしまう魔法を使うのは、好きではない気がした。

「どうしたら、魔法を使うのを怖がらなくなるんでしょう」

セレナの問いかけにアドレーが唸る。

「そうだなぁ。まずは魔法に親しみを持つところからかな？　例えば、飛行魔法と同じくらい、他の魔法を好きになれたなら変わるとは思うけど……」

「……が、がんばります」

「まあ追々でいいさ、追々で」

固い顔で意気込みを語るセレナ。顔に自信がないですとわかりやすく書いてあった。

「他にも、マギアを変えてみるってのもありだと思うよ。クラリッサみたいな専用機とまで言わなくても、ある程度自分用にチューンするだけでも使い勝手変わるし。ステラレイン君のそれ入学の時に支給される汎用機でしょ？」

「あ、いえ、そのマギアは……」

セレナが何かを隠すように、さっと胸元を押さえた。まるで制服の下、胸元に何かがあるかのような仕草である。

「その、自分用のを持ってはいるんですけど、あまりうまく使いこなせなくて」

「自分用のなのに？」

「それは、その……実は、自分で作ったものではなくて、家族に貰ったものなんです」

「……へえ、どんなやつ？」

アドレーが眼鏡の奥で少し目を細めて、手で眼鏡を押し上げた。その様子がどこか自分の表情を隠しているようにも見えたのは、セレナの勘違いだろうか。

「えと、普通の杖《つえ》型のものです。こういう……」

セレナはネクタイを少し緩めると、ボタンを一つ外して胸元に指を入れてチェーンをひっかけて小さな金の星のペンダントを取り出した。そして、掌《てのひら》の上にある星に向けて小さく囁《ささや》く。

「起きて、『リーンスピカ』」

鈴のような音が鳴る。主の声に従って、待機状態であったマギアが形を変えて、細い杖へと変わった。金と銀と青の色。流れる星の尾を象《かたど》ったような流線型。

それを持ったセレナの姿に、一目でこれがセレナ・ステラレインという少女のためにあるものだとわかった。

セレナはその杖を壊れ物のように両手で持つと、アドレーにも見えるように掲げた。

「これが私のマギア『リーンスピカ』です。と言っても、魔法を使おうとすると変なロックがかかってしまうので、使ったことはないんです」

と、そこまで語った時、セレナはアドレーの様子が変わったことに気がついた。

「……なるほど、そういう感じか」

アドレーはセレナのことをじっと見ていた。正しくはその手の中にある『リーンスピカ』を見て、そして目を閉じて、なにかの事実を噛《か》み締めるように薄く息を吐いた。

「先生？」

その様子にセレナがたまらず呼びかけると、アドレーはゆっくりと目を開ける。とても静かな、海のように凪《な》いだ目だった。

そして、セレナに問うた。

「兄って、グランツ・レイフォードか？」

「っ――」

「その反応、やっぱりそうなんだな」

セレナが言葉を失ったことに、アドレーは肩をすくめて、困ったように頭をかいた。

「どこ、から……」

聞いたんですか、という言葉は出てこなかった。隠していたはずで、知っている人はごく一部のはずなのに。なぜ、この人はそれを知っているのだろうか。

「まあ、ちょっと人づてにね。言いふらしたりはしてないから安心していいよ」

とりあえず座って話さないか？　とアドレーはセレナに声をかけて、自分の隣のベンチを指で示した。セレナは兄のことを知られていたことに戸惑いながらも、結局はアドレーの言う通り隣に座ることを選んだ。

「いつから、ご存じだったんですか？」

「……まあ、この前だよ。三日くらい前かな」

二人の目線は交わらない。二人ともアウロラの空を見たままだ。

「はい、私、『魔王の右腕』の妹なんです」

『魔王の右腕』、もしくは人類最大の裏切り者。

聖王暦２９０年に起こった人類と魔族の最大の戦争『人魔大戦』。

それは、それまで群れることのなかった魔族と魔物を統一し人類の生存域の侵略を開始した『灰の魔王』と、聖剣の担い手たる『虹の勇者』の一団を筆頭とした人国連合軍との十年に及ぶ大戦争。

それまではいがみ合っていた国も手を組み、人類の絶滅の危機に立ち向かった。

その中で、唯一人類を裏切り、『灰の魔王』に忠誠を誓い、あろうことか『魔王の右腕』と呼ばれるまでに至った魔導師がいた。

それこそがグランツ・レイフォード。本当の名前はグランツ・ステラレイン。セレナの実兄である。

「でも私は、兄とは違います。私は人を裏切ったりしてませんし、裏切りたいとも思いません。ただ私は……」

そこまで言ってセレナはスカートの裾をきゅっと握る。開きかけた口から言いたい言葉が出ていかない。乾いた口のせいでうまく息が吸えない。

「先生は、私がなりたい自分になれるよう手伝ってくれるって言いましたよね。なら、私は、私は——」

でも、それに耐えるように、まるで縋《すが》るように胸を押さえて、アドレーの方へと目を向けた。

「貴方《あなた》みたいに、なりたい。誰かのために戦って、誰もから認められて、英雄譚《たん》に語られる『夜の騎士《あなた》』みたいに」

期待があった。信頼があった。希望があった。

落ちこぼれの自分に手を差し伸べてくれたこの人なら、こんな夢を語っても、きっと「仕方ないな」「頑張ろう」なんて言って応えてくれるのではないかって。

「————」

数秒、アドレーは何も言わず、ただ間を持たせるように胸元からライターを取り出した。

かちん、と鉄は空回り火は点《つ》かず、そしてまた数秒してからアドレーが小さく息を吐くのを感じた。

そして、どこか遠くを見たまま告げる。

「英雄譚なんて、ロクでもねえよ」

アドレーは自嘲するかのように鼻を鳴らして、次にセレナの方に視線を移した。

「ステラレイン君、もうやめないか、魔導師を目指すのは」

「……え？」

何を言ってるのだろう、とセレナが困惑の声を漏らす。

「せ、先生、なにを？　先生は、私を強くするって……」

「言ったよ。でも、状況が変わった」

「じょう、きょう？」

ああ、とアドレーが頷《うなず》く。

「ただの落ちこぼれならいい。でも、君がグランツ・レイフォードの妹なら、この道は君が行くべき道じゃない」

「そんなの……私が決めることです！」

思わず立ち上がって、叫ぶようにアドレーに言うが、当のアドレーは静かな目のまま、セレナのことを見ていた。現実を見ろと、その目に語り掛けられている気がした。

それがたまらなく腹立たしくて、受け入れられなくて、セレナは声をさらに荒らげた。

「貴方が言ったんです！　私は、魔導師に向いてるって！　なのになんで！」

「……悪いな」

「私は謝ってほしいわけじゃ――！」

アドレーの態度は変わらずに、淡々とセレナに最後の言葉を語る。きっと、それを言えばセレナが傷つくとわかったうえで。

「ステラレイン君、キミがどんなに頑張っても、俺にはなれないよ」

アドレーはセレナが怒るだろうと思い、そう言った。だから彼女の強い怒りを受けとめるつもりでセレナを見て、不意を突かれた。

「――――」

セレナの頬に一筋の滴が落ちていた。

自分を否定されたことに怒るだろうと思った。理不尽で身勝手なひどい大人に感情をぶつけるだろうと思った。いつかのように「貴方なんて嫌いだ」と言ってくると思った。

でも、ただセレナは静かに涙していた。彼女は自分が泣いていることにも気づいていないのか、どこか呆《ほう》けたようにアドレーに向き合っていた。

「……わかって、ました。貴方みたいになれないのなんて、そんなの」

ようやく自分が涙しているのに気づいたのか、セレナは自分の顔をぐしぐしと拭って、アドレーから目を逸《そ》らす。

「でも、それなら、最初から希望なんて持たせないでほしかった……！」

そして、セレナは飛行魔法を使うとふわりと浮き上がり、そのままアドレーの元から飛び去った。

――空を飛ぶのが、好きだった。

何物にもとらわれず、普段の自分を忘れられるから。降りた時に思い出した現実が辛《つら》くても、飛んだ時の幸せは、また頑張ろうと思わせてくれたから。

でも今はそんなこと思えない。

今はただ、この空に溶けて消えてしまいたかった。

◆

生徒会室は、いつものように静かだった。

並んだ五つの机と、五つの役職のプレート。けれどそのプレートに刻まれた名前は会長のセレナ・ステラレインのみ。

こんなに広い部屋なのに、いるのは自分一人で、空っぽで、すかすか。

「……まるで、私みたいだ」

自分の机まで行って、『会長』と書かれたプレートを指でなぞる。

――キミがどんなに頑張っても、俺にはなれないよ。

「そんなの、わかっていましたよ」

呟《つぶや》いて、まだあの人の言葉を思い出す自分に気づいて、自嘲するような声が漏れた。嫌いだ、なんて言っていても心のどこかであの人に寄りかかっていたのだろうか。

「魔導師なんて、目指すべきじゃなかったのかな」

セレナの口から今までずっとこらえていた弱音が漏れた時、不意に背後で扉が開く音が聞こえた。

弾《はじ》かれるようにセレナが振り返る。べつに、あの人がいることを期待したわけではなかった。でももし、もし、想像通りの人がそこにいるなら、と考えてしまった。

「こんにちは、生徒会長さん。今日はお一人ですかな？」

「アルバ、理事長……？」

予想をしていなかった人物がそこには立っていた。

アルバは自身の髭《ひげ》を撫《な》でながら、ほほ、と喉を鳴らした。

「一人とは珍しいですな。最近はアドレーくんが傍《そば》にいることが多かったと思うが」

「あ、いえ。私はべつにいつもあの人と一緒にいるわけじゃありません。私はあの人の……」

生徒、と言いかけて口をつぐんだ。ほんの数時間前までは当たり前のように言っただろうが、今は言えなかった。

アルバはセレナを見て、そして「ふぅむ」と腕を組み唸《うな》った。

「いや、生徒会に少し助力を、と思ったのだが、アドレーくんがいないのなら出直すとするかの」

「生徒会に、理事長が、ですか？」

アウロラ理事会理事長テオドラフォン・アルバであれば、大抵の問題なら自分で動いたほうが早そうではあるが、その彼がいったい何を依頼しようというのか。

「実はの、ここ最近魔導都市に魔物を呼び込もうとしていた人物が見つかったのだよ」

暗い道を一つ一つ下りていく。天高くにある生徒会室から、地下深く、螺旋《らせん》に渦巻く階段を下りていく。

「シリウスの塔の地下にこんなところがあったなんて知りませんでした」

「ほほ、シリウスの塔の地下こそ、このアウロラを守る結界の起点。ユフィール・ゼインの作った魔法陣がある場所だからの。一生徒はその存在など知り得ないのが当然じゃよ」

魔法で杖《つえ》の先に光を灯《とも》し、セレナの前を歩くアルバが前を向いたままセレナに問いかける。

「顧問のアドレーくんに確認を取らず、儂《わし》について来てよかったのかな?」

「べつに、大丈夫です。もし私にできることがあるのならお手伝いしたいですし」

「ほほ、そうかそうか。それはありがたいの」

一つ一つ、階段を下りていく。次第に地上から届く光は薄くなり、漂う空気もどこか重くなっていく。頼りになるのはアルバの灯す光一つだ。

そうして二人は階段をひたすらに下りて、入り組んだ暗い道を進み、重い鉄扉を開けて、やがて一つの部屋にたどり着いた。

「ここが……」

「そう。この魔導都市『アウロラ』を守る結界だ」

そう言ってアルバは杖の先の光を消した。なぜなら、この部屋自体が光っているからだ。

部屋の広さは、以前魔導戦に使った演習室と同じほど。その床一杯に巨大で緻密な魔法陣が刻まれており、それ自体が魔力の光によってあたりを淡く照らしている。

部屋は魔法陣を補強するためなのか、ところどころ巨大な柱が屹立《きつりつ》しており、どこか触れがたく、神秘的な雰囲気を作り出していた。

「すごい……」

セレナが地面に刻まれた魔法陣を見て、思わず感嘆の声をこぼした。

数十の魔法式が複雑に絡み合い、その一つ一つには、最早《もはや》失われたとされるエルフの言語が緻密に刻まれている。学業に関しては優等生のセレナであっても、その文字の意味を読み取るのは難しい。もし魔法に芸術的価値があるのなら、この魔法陣のことを言うのだろう。

それほどに美しく、完成されていた。触れがたさすら感じるほどに。

「相変わらずの出来だ」

だが理事長は、その魔法陣の中に臆することなく足を踏み入れた。

「あの理事長、この中って入っても大丈夫なんですか？」

「会長さんはこの結界がどういったものか知っているかの」

セレナの声など聞えていないかのような、一方的な質問だった。セレナはやや困惑しながらも、依然覚えた教本に合った知識をそらんじる。

「ユフィール学長の作った結界で、人の感情を糧に生まれる魔物を抑制する効果があると聞きます。そのおかげで魔導都市の中には魔物は生まれず、周囲にも強い魔物は生まれにくい」

「その通りだ。こいつは人の心に生まれる淀《よど》み、魔物や魔族が糧とするそのエネルギーを、人に負担をかけることなく吸い取る。それ故に、この中に魔物は生まれない。当然だ、誕生するためのエネルギーが生まれないのだからな」

「アウロラが世界で一番安全な場所と言われる理由ですね」

「ああ。おまけにこいつはエルフの古代魔法《エンシエントマジック》が使われていて、外部からの干渉を防ぐようになっている。物理的な攻撃はもちろん、魔法的な攻撃でさえ外部からのものはほとんどシャットアウトだ。恐ろしい出来だよ」

アルバは魔法陣に触れて、吐き捨てるように言う。

「この結界に干渉しようとするならば魔法陣に触れる必要がある。だが、それも術者以上の魔力が無ければまともに書き換えもできない。だが、エルフ以上の魔力を持つ者などそうそういない。事実上この結界は無敵、というわけだ。実際、私でもこの結界の書き換えは限定的にしかできなかった」

「……え？」

あまりにもあっさりと語るせいで、一瞬その言葉を聞き逃しそうになった。

「結界の、かき、かえ……？」

セレナが困惑と共にアルバに目を向ける。聞き間違えか言い間違えか、そのどちらかだと思ったのだ。

それに対するアルバの答えは実にシンプルだった。片手を上げて、セレナに向けて軽く薙《な》ぐように振るった。

次の瞬間、魔法陣も生み出さず、魔力の嵐が吹きおこる。

「え、きゃあっ」

生み出された魔力の波はセレナの身体《からだ》を吹き飛ばし、そのまま壁に身体を叩《たた》きつける。

セレナの細い体が軋《きし》み、肺からありったけの空気が吐き出される。

「おや、少しやりすぎたかな」

地面に転がり、困惑と共に自身を見上げる少女の姿に、アルバは酷《ひど》く愉《たの》しそうに乾いた笑い声を響かせた。

「りじ、長……？　なに、を……」

「理事長。テオドラフォン・アルバな。ああ、そうだな、本当にあやつは何をしたのだろうな」

そう言ってアルバは、まるで喜劇の道化師のように両手を広げて天を仰ぐ。

「この場に満ちる強大な魔力素《マナ》、人の心の淀み。そうしたものを使ってあの男が僅に力を求めたのが一年前。ありふれた契約。その程度なら自分なら問題ないと思ったのだろうが……相手が悪かった。儂に力を借りるということをわかっていなかったなぁ」

アルバは――――否、アルバを「あやつ」と呼ぶ「なにか」は恍惚《こうこつ》とした様子で口を歪《ゆが》ませる。

「この儂にかかれば、人の身体など簡単に乗っ取れる。おかげで簡単に、安全に、疑われることなく、魔導都市《アウロラ》の中に入ることができた」

周囲の空気が、正しくはその中に溶け込む魔力素《マナ》が蠢《うごめ》く。アルバの足元の影が意志を持つかの如《ごと》く形を変える。瞳孔が赤く、鋭く、獣を思わせるそれとなる。

本来人にはできないはずの、マギアを使用せず、魔法陣すら介さずに、魔力を操っていた。

この世界でそんなことができる存在は、ただ一つ。

「まさか、『魔族』……」

「キハ」

アルバは歯を見せて笑った。その笑顔は人が見せるそれとはあまりにも違っていて、歪んでいた。

反射的にマギアへ手を伸ばそうとするが、アルバの姿をしたソレは見越していたかのように軽く手を振った。

それだけで魔力の風がセレナを襲い、セレナが手に取りかけていたマギアを遠くへと吹き飛ばした。

「無駄だ、無駄。学生程度、儂の相手にもならんよ」

セレナの身体がまたも吹き飛ばされ、叩きつけられる。結んでいた髪がほつれ、金色の髪が頬にかかる。

ぐ、とセレナが腕に力を入れる。荒い息のまま、立ち上がってアルバを睨《にら》む。

「ほお〜、立つか。思ったよりも根性があるのだな」

「貴方《あなた》が魔族だというのなら、私には止める義務があります」

一瞬目だけを動かして、遠くに転がったマギアの場所を確認する。

「だって、私は……『生徒会長』なんですから！」

そして、マギアのある場所に向けて走る。アルバはそんな姿を鼻で笑い、先ほどと同じように腕を振って魔力の波でセレナを襲う。だが、その攻撃はセレナまで届かない。

「ほお、柱を盾にしたか。存外頭が回るのだな」

セレナが滑り込むように柱の陰に入り、アルバの魔力の風をかいくぐる。一瞬生まれたチャンス。アルバに生じた刹那の計算違い。セレナはそこにかけて、落ちているマギアに向けて最後の一歩を踏み出した。

「――まあ、だからなんだ、という話なのだが」

くい、とアルバが指を曲げると、魔法陣の間を縫うように地面がぐにゃりと曲がる。そしてまるでセレナを下から殴りつけるような石の柱を作り出した。柱はセレナを吹き飛ばすと、そのままついでとばかりにマギアを叩き潰し、元のように地面の中に戻っていく。

「あ、か……」

セレナの細い体が空に浮かび、数瞬の時を置いて地面に落ちる。

「おお、やりすぎてしまったな。お前には傷ついてもらっては困るのに」

仰々しく頭を押さえて、アルバはセレナに近寄った。アルバは痛みに苦しむセレナの姿を吟味するようにしげしげと眺めて、乱雑に首を摑《つか》んで持ち上げた。セレナが指を引きはがそうとするが、アルバはびくともしなかった。

「なにを、する、気です……」

「この結界を書き換える。そしてこの都市に大量の魔物を生み出す。わかりやすいだろう?」

「そんなこと、させるわけには……」

「いいや? やるさ。お前の力を使ってな、セレナ・ステラレイン」

「私の……?」

アルバがひどく奇妙なことを言った。

聞き間違えでなければ『セレナの力を使って、この結界を書き換える』と言った。この結界の強固さと、それに干渉する難しさは、あれほど自分で語ったにも関わらずである。

そんな結界にセレナの力で何ができるというのだろうか。

「ん~~~?」

セレナの困惑が伝わったのか、アルバが興味深そうにセレナに顔を寄せた。セレナの瞳を覗《のぞ》き込むアルバには人間味がない。

「なんだ、あの忌々しいエルフは教えてくれなかったのか、お前のその髪の意味を」

「か、み……？」

セレナの宝石を散りばめたような金の髪が、いったい何の意味を持つというのか。言われてもぴんと来ていない様子のセレナを見て、アルバは興味を失ったように、セレナを雑に放り投げた。

「まあいい。お前の知識はこの儀式には関係がない。欲しいのはその命なのだからな」

セレナの身体を魔法陣の中心に転がして、アルバが指を鳴らす。するとどこからか生まれた魔力の鎖がセレナの身体を地面につなぎとめた。

「なぜ、こんなことを……」

「ん～～～？」

「アウロラには優れた魔導師が多くいます。貴方の企《たくら》みはすぐに潰《つい》える。たとえ結界を書き換えることができても、すぐに学長が書き換え直します！」

「キハ」

セレナの言葉に、アルバは笑った。

歯をむき出しにして、ゲタゲタと楽しそうに声を上げて、ずいっとセレナに顔を寄せる。

「いいか、魔物は人の心の淀みから生まれる。魔族は人の心の淀みを糧とし進化する。それが我らだ、我らはそういう生き物だ。だが、この街にはその淀みを吸い取り、魔物の発生を阻害する術式がある。故に、この街に魔物はいない」

だが、とさらにアルバがセレナに顔を寄せる。真っ赤に充血した瞳に、不安そうなセレナの顔が映りこんだ。

「その吸い取られた『淀み』はどこに行っていると思う？」

「どこに、って……それは……まさか……」

「そう、そう！　その通りだ！　蓄えているんだよ！　この結界に！　消えたわけじゃあない！　ただ我らに使われないようにしているだけだ！」

喜劇の演者のように、アルバは両手を広げた。

「この魔導都市に結界が生まれてからの間、魔物は一匹たりとも生まれなかった！　その間に蓄えられたすべてが！　魔物と変わる！」

今にも腹を抱えて笑い出しそうな様子で、アルバは声を上げる。

「果たしてそれだけの魔物が出てもなお、この魔導都市は無事で済むのかな？」

魔導都市《アウロラ》に結界が作られてから数年間、いったいどれほどの魔物が生まれるはずだったのだろう。もし、それが一気に解放された時、アウロラに何が起こるのか。

想像するだけでも背筋に冷たいものが流れた。セレナは身体を揺らして拘束を解こうとする。

「これこれ、逃げるな。儂《わし》にその絶望の表情を見せ、楽しませてみよ」

だが、アルバの拘束はびくともしない。それどころか先ほどよりもいっそう強くセレナの身体を締め付けた。セレナの細い身体が軋み、柔らかい肉を強く締め上げる。

アルバが指を鳴らすと、元からあった魔法陣に書き足されるように濃い魔法陣が浮かび上がった。刻まれた文言はエルフの文字とも人の文字とも違う。おそらく、魔族固有の文字なのだろう。色合いすらも毒々しく、人の苦しみを悦楽とするその性根が現れているかのようだった。

「キハ」

アルバの姿をした魔物が笑い、指を鳴らす。すると毒々しい魔法陣に魔力が流れ、その中心にいるセレナに干渉を始める。

「あ、あああああっ！」

初めに熱を感じた。けれどそれは一瞬で、あっという間に足の先から熱が奪われていく。血の流れが加速し、身体に流れる血管が沸騰するような錯覚を覚える。視界がちかちかと明滅し、僅かに見える景色すら赤く染まっていく。

それと同時に、周囲の空間が揺らぎ、蠢く魔力素《マナ》の気配が一秒ごとに濃くなっていく。

「そうそう、言い忘れていたが、この儀式にはお前の命を使う。儀式の最中は死ぬほど苦しいが——なあに、どうせ最後には全員死ぬのだ、問題あるまい？」

混沌《こんとん》と崩壊の狭間《はざま》で、魔族は嗤《わら》った。

「喜べ！　お前の命で、この都市は滅びるであろう！」

——自分の生に、何の意味があったのだろう。

褒められたくて、認められたくて、努力を続けても何も形にならなかった。

兄のことで周囲の大人はセレナのことを遠ざけた。魔導都市に来てからは落ちこぼれの
セレナを教師たち大人は見放した。

やっと希望が見えたと思えば、それもやっぱり駄目になって。

そして今、こうして魔族に騙《だま》され利用され、この魔導都市を滅ぼすために使われようと
している。

「やっぱり、私がいていい場所なんて、この世界にはどこにもなかったんだ」

ずっとずっと否定したくて、そうだと認めたくなかった事実。でも、現実を突きつけら
れてついに言葉にしてしまった。

そうすると今まで気を張っていたのに、突然全部受け入れられてしまって、力が抜ける。

そして、セレナの空色の瞳から涙がこぼれた。

その涙を拭う人もすくう人もおらず、ただ落ちる滴は地面に落ち、砕けた。

「術理開廷《アクセス》――夜拓く白絶《レグレイズ》」

瞬間、白い光が虚空を翔《か》けた。

それは絶望という夜を裂く一条の斬撃。かつての英雄『夜の騎士』が振るった剣。

「――――っ！」

アルバの姿をした魔族が飛び退《の》くと、光はそのままセレナの拘束を破壊した。

支えがなくなったセレナの身体《からだ》が倒れかけ、それを抱き止める人物が一人。

「取り込み中悪いな、まだこの子は授業中なんだ。返してもらってもいいか」

アドレー・ウルが剣を手にし、セレナの目の前に立っていた。

◆

受け止めたセレナを壁際に座らせると、上着を脱いでかけてやる。制服がぼろぼろで見ていられなかった。

いつぞやの魔竜《ドラゴン》の時と同じだ。あの時も俺はセレナがぼろぼろになってからようやく追いついた。俺は、いつも一歩遅い。

セレナは荒い息のまま俺を見上げ、震える声で俺を呼んだ。

「どうして、ここに……」

「前も言ったろ、俺の生徒が……いや、キミが頑張っているからだ」

ここに来れたのは、正直偶然だった。俺が飛び去ったセレナを追いかけてシリウスの塔の近くまで来ていたら、たまたま地下に下りていくセレナとアルバ理事長が見えた。

それで、嫌な予感がして追いかけてきたら、なぜかガチガチの結界で地下への道が固められていた。

それを無理やり魔法でこじ開けて来たらこの状況だ。運が良かったとしか言えない。

「せん、せい、私は……」

「……まだそう呼んでもらえるとはな」

あんなことを言ったのに、まだそう呼んでもらえることに、有難さと同時に申し訳なさを感じる。

この子が泣いてしまうようなことを、俺は言ったんだ。その上、この子がこんなに傷つくまで助けに来れなかった。

ああ、まったく自分が嫌になる。嫌で、嫌でしょうがない。

「ステラレイン君、ちょっと待ってな、パパっと終わらせて来るからさ」

けど、反省は後だ。今はこのふざけた状況を片付けよう。

手にしたエルゼント・ブレイドを持ち直して、あたりに散らばる柱の陰からこちらを覗いている奴《やつ》に目を向ける。

「貴様、アドレー・ウルだな、入り口の結界は――」

「オラッ」

「――ぐぎゃっ!?」

とりあえず身体強化《ブースト》で踏み込んで、相手の顔を一発殴っておいた。アルバ理事長の顔だったが、まあこいつ明らかに理事長じゃねえしな。

俺に殴られた奴はごろごろと転がって壁にぶつかると、そのままふわりと空気に溶けるように消えた。

幻影か。面倒だな。

「随分迷いなく殴るのだな。儂が人間である可能性は考えないのか？」

スッと、俺の背後の柱から、理事長の姿をしたそいつが姿を見せる。

「お前のその気配は人間のものじゃねえよ。もう成り代わられてるもんだ」

人ならばこんなどす黒い魔力を持つことはないし、魔法陣すら使わずに幻影魔法を使うなんて無理だ。

「それに、どうせお前だろ、ド・グァズ。それとも元魔王軍参謀『魔導元帥』とでも呼んでほしいか」

「キハ」

俺が名を呼ぶと、アルバ理事長の姿をしたそいつが笑う。

ああ、まったくもって聞き覚えのある、気色の悪い笑い声だ。

アルバ理事長の姿に影が纏《まと》わりつく。べたべたと粘着質な黒い色はそれまで人の形をしていたそいつのことを塗り替えて、人ではない別の形に変えてしまう。

フードつきの長いローブと、その中にある真っ黒の闇と、その中で怪しく揺らめく獣の瞳孔。

「儂のことを覚えていたか、『夜叉《やしゃ》』。久しいなぁ」

『魔導元帥』ド・グァズ。

魔族の賢者で、魔王を助けた参謀でありながら、それと同時にエルフと人の魔導すらその手札とした、魔王軍の中でも飛び切りの異端者。

「そういえば、カースはお前の作品だったな。もっと早く気づくべきだったよ」

グァズはフードの奥で笑いながら、ねっとりと俺へと語り掛ける。

「あの生意気な小僧が随分と老けたものだなぁ。人の生とは早いものであるなぁ」

「ハッ、最後の決戦で魔王の傍《そば》から逃げ出した奴がよく言うぜ。拾った命で過ごす時間は楽しかったか？」

「違う！　魔王様の未来のために儂は次の一手を打ったのだ！」

声を上げるグァズは歯を見せて、にやりと笑う。

「だから今、貴様らを殺すためにここにいる」

「ああ、そうかよ」

眼鏡を外して、放り投げる。魔力を流して騎士の瞳《ルクス・アウディオ》を発動する。

「――――」

「――――」

遠くで、俺の投げた眼鏡が地面に落ちる音がした。

瞬間、俺とグァズの身体が同時に加速した。俺は魔力を剣に纏わせて、グァズは両の手に黒紫の魔力を集束し、それぞれが踏み込んだのだ。

俺が剣を横薙《よこな》ぎに振ると、グァズは左手の黒紫の霧でそれを受け止め逸《そ》らす。そのまま周囲の魔力の動きに指向性を持たせ空に浮かぶと、今度は右の手に集めた霧を拡大させ俺へと向けた。

「黒紫双死《アビスレイ》」

「火炎付与《フレイム》――――『斬・核炎《ブレイズ》』ッ！」

剣に魔力の炎を纏わせ、安定化させると振りぬいてグァズの黒紫の霧をぶち抜く。間髪容《い》れずに地を蹴って、乱立する柱を足場にし、空中のグァズに迫る。

だが俺が迫るのを見たグァズは、自身を霧に包んで姿を消し、空中で身動きの取れない俺の背後に姿を現す。

っ、なめんな！

「『簡易障壁《でろ》』！」

空中に半透明の盾を生み出し、座標固定。それを蹴って半回転し、勢いのままグァズの首を狙う。

だがグァズは、またも黒紫の霧で俺の剣を受け止める。そして俺とグァズの視線が、至近距離でかち合う。

「殺し損ねたのは俺たちの不始末だ！　改めてここで終わらせてやるよド・グァズ！」

「キハ！　できるかな夜叉！」

「言われなくても、やってやるよ！」

お互いの攻撃の勢いで吹き飛ぶ。グァズは空中で制動をかけ、俺は地面を転がって勢いを殺すと、柱の陰に入ってグァズの視線を切りつつ剣を握り直す。先ほどの夜拓く白絶《レグレイズ》でかなり傷んでいる。もともと汎用の武器に耐えられる魔法じゃねえんだ。いいとこ使えてあと二回ってところだろう。

ならだらだら長引かせても意味はない。次で決める。

「術理開廷《アクセス》――」

足元に魔法陣が現れる。借りたエルゼント・ブレイドに魔力が宿る。俺の意志と組み上げた術式に従って、魔力が限界まで集束し、白きプラズマと変わる。同時に待機させておいた拘束の術式をマギアに叩《たた》き込んで、手の中に待機。そして、グッと沈み込むとそのまま空へと跳んだ。

無防備に空中へ飛び出して来た俺にグァズは照準を合わせるが、それと同時に俺は待機させていた拘束魔法を発動。物質化された鎖をグァズに向けて投げ、奴の腕をからめとった。

「――何！」

グァズが不意を突かれたように目を開くが、もう遅い。俺は手の中の鎖を引いてグァズの身体を引き寄せる。反動で俺の身体が空中で再加速し、グァズとの距離が一気に縮まる。

「――夜拓く白絶《レグレイズ》ッ！」

すれ違いざま一閃《いっせん》。万物を斬り裂く白光は、グァズの身体を斬り裂いた。

「頭脳労働担当が、俺の前に出てきたのが運の尽きだったな」

斬られたグァズはそのままの勢いで壁にぶつかり、地面へ落ちる。それと同じタイミングで俺も地面に降り立ち、血を払うために剣を横に振る。

マギアは……ちょっとひびが入ってるけど、壊れずに済んだな。良かったこれ一応借りもんだから壊したくなかったんだよな。

「よ、ステラレイン君、終わったよ」

俺はセレナに向けて手を上げる。そして、彼女を安心させるために、緩い笑みを浮かべて歩み寄る。

「先生後ろです！」

後ろ――――ッ！

「防御《シールド》……がッ」

反射的に防御魔法を展開するが、容易《たやす》く砕かれてしまい、俺の身体が凄《すさ》まじい衝撃に襲われる。じくじくと痛むのは脇腹あたり。大丈夫だ、致命傷にはなってない。一応、俺の盾でもそれなりに勢いは削《そ》いでくれたか。

「その障壁の弱さ。どうやら、噂《うわさ》は本当らしいな、夜叉」

かつかつ、と背後から足音が聞こえる。……ったく、どうなってんだ。

「確かに斬ったはずだぞ、グァズ」

「キハッ」

ローブを引きずり、胸に俺の剣による巨大な裂傷を刻まれながらもグァズは生きていた。浅かったのか？　いや、間違いなく奴らのコアがある胸をえぐったはずだ。

こいつ、なんでまだ生きている。

「なんでまだ生きているんだ～、とでも言いたそうな顔であるな、夜叉」

「あ？　適当に俺のことを、わかったふうに言ってんじゃねえよ」

「おお怖い怖い。生徒の前で被《かぶ》ってる猫が脱げかけているぞ、先生？」

グァズは俺を嘲るように肩を揺らし、そして両手を広げて俺へと語り掛けてくる。

「八年だ。あの忌々しい、貴様らが『人魔大戦』と呼ぶあの戦から！　その間、儂《わし》が貴様らパーティの対策を何もしなかったと思うのか？」

ふと、気づく。騎士の瞳《ルクス・アウディオ》を使う俺の目に、何かのラインが映った。何かはわからないが、間違いなくめんどくさい感じのやつ。

「なあ、夜叉よ。儂が何故《なぜ》ここを戦いの場に選んだと思う？」

こいつが、何かする前に殺さないと、まずい。

「――■■■■」

グァズが何かを唱えた。俺も知らない魔族の言葉。あいつの身体が震え、周囲の魔力が蠢《うごめ》き始める。明らかに何かの変化がグァズに起きている。

「術理開廷《アクセス》――夜拓く白絶《レグレイズ》！」

白い光を剣に宿す。流れる魔力をプラズマと変えて、袈裟懸《けさが》けにグァズのコアごと叩き切る。俺の使うレグレイズは万物を断つ剣。斬れないものはなく、それ故にグァズも殺せる――――はず、だった。

「あ？」

剣は、グァズを斬ることなく止まった。いや、正確には斬れてはいる。だが、あくまでも表皮の少し下まで入っただけで、奴のコアまで剣が届かない。

「キハ、いいぞ！　そのお前の困惑の顔が見たかった！」

がし、とグァズが素手で俺の剣を摑《つか》んだ。

「夜叉、貴様の使う『夜拓く白絶《レグレイズ》』は、炎の属性を帯びた魔力を限界まで集束し、プラズマに近い性質へと変えて万物を斬る魔法。刃に宿るエネルギーは比類なく、どれほど強大な相手でもお前は一太刀のもとに斬り伏せることができた。そう、お前の剣は『斬る』のではなく、『断つ』。そのエネルギーをもって、我らの肉体の細胞を破壊することで『切断』という現象をもたらしていた」

「だから、なんだってんだ」

「だが、エネルギー量は無限なわけではない。斬った時には必ず消費されているのだ。だから、こうして――」

フードの奥でグァズが獣の瞳をにんまりと細めた。

「儂の身体《からだ》の表面に、無数の肉の層を作り、無駄にエネルギーを消費させてしまえば、お前の剣は無力、というわけだ」

グァズが俺の剣を摑むのとは反対の手で、自分のローブをまくって俺の剣を受けた身体を見せてきた。

おぞましい身体だった。魔族の黒い肌はまだいい。しかし、その上には何重にも何らかの肉が魔法的に埋め込まれていた。同族の魔族のもの、下級の魔物のもの、魔竜《ドラゴン》のもの、そして中にはおそらく、人のものまで。

「そして受けた傷も――」

　ぶぅん、とグァズの魔法陣が鈍く光ると、ユフィが作った結界から何かが汲《く》み上げられる。それは、細いラインを伝って、グァズの身体へと流れこんだ。

　すると、途端に、グァズの身体の裂傷は泡立つように治癒していく。

「――この結界に蓄えられた淀《よど》みと魔力使えば、こうして元通りだ。どうだ、儂の魔法は素晴らしいだろう？」

「馬鹿も休み休みに、し、と、けッ！」

　俺は一瞬剣から手を離すと、空いた両手で格闘戦を仕掛ける。まずは足でグァズの体勢を崩すと掌底で奴《やつ》の顎をかちあげて、体を半回転。生まれた勢いをそのままに、グァズの腕に手刀を叩き込み、剣を握る力が僅かに緩んだタイミングで足に引っかけて、剣を後ろに蹴り飛ばした。

「……チッ、マジで治るのかよ」

　俺はバックステップで離れて、きりきりと宙を舞う剣を摑んでグァズの様子を窺《うかが》う。

　しかし、グァズは余裕のある態度でゆっくりとかちあげられた顔をこちらに向けた。

　決定打とまではいかなくても、多少なりとも手ごたえはあったのが、ローブの下から出ている蒸気を見る限り、恐らくあれも治っているらしい。

俺の魔法に対する絶対的な防御。そして、瞬時に行われる治癒能力。

「……参ったな」

相性最悪だ。いや、最悪にしてきたのか。どちらにしろ面倒だ。

「キハ」

グァズが不愉快な笑い声を漏らす。

「そうだ、その顔だ夜叉《やしゃ》！　我ら魔族を無慈悲に殺した貴様が！　儂に恐怖する！　その顔が見たかったのだ！」

「誰が恐怖だ。べつに、夜拓く白絶《レグレイズ》が使えなくたってお前を殺す手段はいくらでもある」

剣を構え、目に魔力を流す。そうだ、俺はこれだけでしか戦えないわけじゃない。

「なるほどなるほど。確かにな、あの不死身の『星喰《ほしく》いゴルド』を殺したのは貴様だ。確かに儂を殺す手段は山ほどあるのだろうが――」

ちら、とグァズが目を俺から外した。

「守る方法は、まだ持っているかな？」

その視線の先にいるのは、セレナだ。まさかこいつ――！

「ほうれ守ってみよ、夜叉よ」

グァズの手の中に無数の黒紫の霧が生まれる。先ほどまでは魔法で相殺できるレベルだったが、明らかに力が増している。

「黒紫双死・重《アビスレイ・グラン》」

「え？」

グァズの魔法とセレナの間に体を滑り込ませる。どうするべきか、いや、選べる手段は一つしかない。

使うしか、ない！

「『術理開廷《アクセス》』――夜廻る暁光《アイギウス》！」

マギアに術式を叩き込み、手を伸ばす。生まれるのは暁色の巨大な盾。それは俺と背後のセレナをすっぽりと覆うように展開し――グァズの魔法に触れた瞬間、硝子《ガラス》のように儚《はかな》く砕けた。

一秒も持たず、攻撃と拮抗《きっこう》することもなく、まるでなにもなかったかのようにグァズの黒紫の群れは俺へと殺到した。僅かな猶予をこんな役立たずの魔法に使った俺に、その攻撃を防ぐ手段はなく、俺はただ無防備にその攻撃を受ける。

「あ、かは……」

致命傷、には、なってない……な。ちょっと、血が出て、視界が悪いが。

「せ、先生っ！」

「だいじょうぶ、だ。それよりも……」

悲鳴に似たセレナの声に応えながら、振り返る。

「ステラレイン君には、怪我《けが》はない、みたいだな」

よかった。俺が来るのが遅れたせいで、君が傷ついてしまったから、これ以上は怪我をさせたくなかったんだ。

「あ、れ……」

「先生！　しっかりしてください！」

しまった、な。セレナの無事を確認したら、ちょっと力が抜けちまった。まだ、グァズが目の前にいるのに。

「キハ！　キハハ！　キハハハハハハ！　やはり！　やはりなんだな！」

うるさい笑い声が聞こえる。グァズの俺をあざ笑う声だ。

「夜叉、貴様本当に、防御魔法が使えなくなっているのだな！」

……。

「夜叉の魔法と言えば、万物を断つレグレイズと、何者からも仲間も守るアイギウスの二つだった。だが、貴様にはもう無敵の盾はないのだな！　それはつまり――そうか、そうか……なるほどなあ、儂にはお前のことがよ～くわかったぞ」

にんまり、とグァズが目を細めた。

「貴様、死にたいのだろう、夜叉よ」

「……え？」

その言葉に、誰よりも驚いていたのはセレナだった。彼女はグァズの言葉に困惑したように俺へと目を向けた。

「貴様ら人間の魔法は『意志』の力で使うものだ。それが使えないということは、守る気がないということだ。いいや、それとも――――」

……体は、動く。マギアは、まだある。なら、まだ使える手はある。

「――――勇者を守れなかった自分の盾に、守れるものはないとでも考えているか？」

今、だッ！

「レグ、レ、イズッ！」

剣に魔力を纏《まと》わせて最後の力を振り絞り、背後の壁に叩《たた》き込んだ。がららと石造りの壁が破壊されたことを確認して、俺は火花を出していたマギアをグァズに投げつける。

その瞬間、グァズと俺たちの間で限界を迎えたマギアが弾《はじ》けて、激しい爆発を起こした。

「摑まれステラレイン君」

「え、せんせ――」

答えを聞く暇もなく、俺はセレナを抱きかかえて壁の向こうにある通路に逃げ込んだ。

地上までの一本道を戻るだけだ、グァズから逃げきれるわけではないが、時間稼ぎくらいにはなるはずだ。

たぶん、セレナを逃がすくらいの時間は、作ってやれる。

「はあ、はあ、ここまで、だな」

強化魔法で無理やり体を動かして、しばらく走り、グァズと距離を取れたあたりでセレナを下ろす。

「ステラレイン君、君はここから地上に戻れ。そしてユフィに応援を頼むんだ。あいつは、俺が思うよりも強かった。最悪、ユフィくらいじゃないと、あいつには勝てないかもしれない」

「ユフィール学長をですか」

「ああ。あいつの目的が何かは知らないが、結界を使ってロクでもないことをしようとしてるのはわかる。あいつが俺たちがいない中で、結界を書き換える可能性がある以上、一刻も早くユフィは呼ぶべきだ」

俺がそう言うと、セレナが恐る恐ると言った様子で口を開く。

「あの、あの魔族が結界をどうこうする、という可能性に関しては大丈夫かと思います」

「……なんでそう言い切れる？」

「あの魔族が言っていました。あの結界を書き換えるには、自分では力が足りず、私の力がいる、と……」

「ステラレイン君の……？」

あいつの言動を見る限り狙っているのは結界の書き換え。それにセレナと何が関係ある……？　いや、今はいい。むしろ、セレナがいないとあいつの目的が達しないのなら好都合だ。

「ならなおさら、君は逃げろ。君が生きている限りこの魔導都市は守れる」

「私はって……先生は？」

俺は……ああ、答えは決まっている。

「俺は、あいつと戦う。あいつも俺と戦いたいらしいしな」

血が抜けて朦朧《もうろう》としつつある意識と、痛みを訴える体を叱咤《しった》して立ち上がる。そして俺がセレナの元から立ち去ろうとすると、はしと服の裾が掴まれた。

「死ぬ気、なんですか？」

「……そんなわけないだろう？　俺も死ぬのは嫌だよ」

「さっきの魔族は言っていました、先生が死にたいって思っているって！　それに……」

セレナは空色の瞳で俺を見上げ、悲痛な表情を浮かべている。

「先生は、まったく防御魔法を使えていませんでした。もし、先生が言った通り魔法に必要なのが『意志』の力なのなら……先生には、自分の身を守りたいという気持ちが、まるでないんじゃないんですか？」

……。

「先生なんとか言ってください！」

「英雄譚《たん》」

「はい？」

「王都が出したって言う英雄譚、あれに『勇者』は出てくるか？」

急な質問にセレナは困惑していたようだった。けど、俺の静かなトーンにふざけているわけではないと感じたのか、それとも先ほど俺とグァズの会話に出てきた言葉を覚えていたからか、素直に答えてくれた。

「はい。『虹の勇者』は初代聖王以来の『聖剣』を抜ける勇者で、仲間を率いて戦ったと。それで魔王を見事打ち倒し……」

「その後は、どうなったって？」

「その後って、なにの」

「魔王を倒した後だよ。勇者はどうなったって書いてあった？」

「どうって……」

セレナが目線を外し、少し考え込む。大方、自分の呼んだ英雄譚の物語を思い返しているのだろう。

「書かれて、いなかったと思います。ただ、倒して平和を勝ち取ったと……」

「そうか」

まあ、そうだろうなとは思った。そうするように決まっていたわけだし。

「その英雄譚の『虹の勇者』は死んだ。『灰の魔王』と相打ちだったんだ」

セレナが言葉を失ったように、瞳を揺らした。

「なんでそんなこと」

「あの子の——勇者の希望だった。自分が死んだとしても、そのことは公表するなって。だから王都の連中もそれに従った。それで綺麗《きれい》に整えられて発表されたのがあの英雄譚、らしいな」

戦いから帰った時、王都の連中は死んだあの子と、俺を称《たた》えた。よくぞ勝ってくれたと。

ぜひその雄姿を伝えさせてほしいと。その言葉で戦いの様子を教えてくれと。

善意と感謝から彼らは俺にそう言って、俺は「好きに書いていい」とだけ返した。

それで生まれた英雄譚が、今王都に出回ってるやつだ。

「……そんなの、どこにも」

「言ったろ、英雄譚なんてロクでもねえよ。憧れる程のもんじゃない」

ああ、そうだ、本当にロクでもない話なんだ、あれは。

「俺にしても、そうなんだ。ステラレイン君の憧れた俺がどうだかは知らないが、本当の俺なんかこんなもんだ。守るべきものは守れず、一人だけ生きて帰って来た、死にぞこないなんだよ、俺は」

「そんなこと――」

「あるんだな、これが。何より、俺自身がそう思っているからね」

誤魔化すように眼鏡を押し上げようとして、もう投げ捨ててしまったのを思い出した。

まったく締まらない。

「まあ、そういうことだ。キミは逃げろ。そして俺じゃない、もうちょっとマシな何かを目指しなよ」

最後にぽんぽんとセレナの頭を軽く叩いて、グァズの元へと赴くため来た道を戻る。

セレナは追いかけてこない。あの子は学生なんだから逃げるべきだ。

俺が、魔法陣のあった部屋に戻ると、グァズは魔法陣の中心で静かに座っていた。周囲には影が蠢《うごめ》き、奴《やつ》から感じる魔力の密度も一層濃い。

充電完了、とでもいったところだろうか。

「キハ、戻って来たか、夜叉《やしゃ》よ」

「なんだ待っててくれたのかよ。律儀だなグァズ」

「貴様ら勇者の一団を殺すのは儂《わし》の手でと決めておる。それに、貴様を殺してからあの娘を追いかけても、追いつくに余りある時間だ」

「は、そりゃ、なおさらお前を倒さなきゃいけなくなったな」

そうでなけりゃ、セレナが逃げられないみたいだからな。

マギアはもうないため俺が拳を構えると、グァズがあざ笑うかのように声を上げた。

「キハ、まだ戦う気か？」

「俺たちは諦めなかったから魔王に勝てた。知ってるだろ」

俺が『魔王』という言葉を出すと、グァズは不愉快そうに眉を寄せた。だがすぐにまた、人を小馬鹿にするかのようにフードの奥で歯を見せる。

「だが、だが貴様にもうあの忌々しい『勇者』はいない。心を許した『相棒』もいない」

そして、喜劇の演者がそうするような大仰な仕草で両手を広げる。

「貴様にはもう何もない！　何も守れず、何も残せない！　ただ忘れられ滅びていくだけの騎士！　それが貴様と言う存在だ夜叉……いいや、アドレー・ウル！」

腹立たしい言葉だった。俺のことを知ったかのような口で、うざったいことを言ってくる。ああ、まったくもって腹立たしいな。

本当に……否定することができない。ぐうの音も出ないほどに、正論だ。

ガキの頃に、『人魔大戦』が起きた。その影響でたくさんのものを失って、失った分だけ人を守りたいと思うようになった。

だから魔導師になろうって思った。でも俺は空を飛べなかったから、絶滅しかけの騎士になるしかなかった。

でもそこで認めて貰《もら》えて、勇者の一団にも入って、仲間ができて、そして全部を失った。

俺が今までの人生で守れたものなんてほとんどなくて、絶滅しかけの騎士の俺に残せるものなんて何もない。

ただ、忘れ去られるだけの、未来がない存在が俺だ。

でも、でもな……それでも。

「でも、せめて生徒くらいは守りたいんだよ」

そう言った時に、彼女の顔が浮かんだ。俺のことを「嫌い」だという彼女。あの雨の日に、誰からも見捨てられて、迷子みたいになっていた彼女。

あの子が俺のことを、「先生」と呼んでくれたことは嬉《うれ》しかった。あの子のひたむきさが報われればいいと思った。

才能がないのに努力をやめられない姿が、どこか幼いころの自分に重なっていた。

「騎士の俺に未来はない。ならせめて、未来がある生徒《セレナ》のために、この命は使いたい」

彼女ために死ねるなら、死に損なった俺の命に、少しでも価値があったと思える気がする。

きっと、満足できる。

「――――」

朦朧とする意識の中、走り出す。グァズが黒紫の霧を放ってくるのを、転がるようにしてかわしつつ、拳を握る。マギアはもうないから、基礎的な魔法は使えない。だが手がないわけじゃない。

「術理開廷《アクセス》」

魔力を流し、手の中に小さな魔法陣を生み出した。使えるのは一瞬だ。ここで決めるしかない。

「レグ、レイズッ！」

俺の右腕に真白のプラズマが発生する。そのプラズマは俺の右腕の肉をえぐりながら、ほんの一瞬だけ安定化を見せる。俺はその刹那にかけるように、グァズに拳を振るう。

「無駄だ無駄だ無駄だ！」

「ガッ――――」

だが、グァズにその一撃は容易《たやす》く受け止められてしまう。俺の決死の一撃は虚《むな》しく散り、グァズがお返しとばかりに俺に拳を叩き込んだ。

「マギア無しで魔法を使うとは、相変わらず小細工ばかりは上手《うま》いようだな、夜叉よ」

倒れる俺を足で押さえつけて、グァズは右手を俺へと向けた。

「だが、これで終わりだ。ようやく、貴様の命を魔王様の手向けとできる」

目の前で黒紫の靄《もや》が集束して、形を変えていく。不定形だった影は、より鋭く、黒い刃の如《ごと》く変わり、その切っ先が俺へと向けられる。

それを防ぐすべも、余力も、俺にはもうない。

いやまあ、悪くない終わりなんじゃないのか。死に損ないの俺が、なんとか教師っぽいことをしようとして、一応生徒を逃がしてやった。時間も多少なりとも稼いだし、あとはユフィが気づいて、うまくやってくれることを祈るしかない。

グランツ、ああ、これで俺もようやくそっちに行けそうだ。

「ありがとな、ステラレイン君」

そして、目を閉じた。やってくる終わりを静かに受け入れようと、思っていた。グァズもそれを感じ取ったのか、ゆっくりと勝ち誇るように俺を見下ろしていた。

「あ、あああああああっ！」

突如部屋に叫び声が響き渡る。戦いに集中していた俺たちは、直前で戻って来ていたセレナの存在に、まったく気がついていなかった。

「――――なっ！」

彼女は地をスレスレで飛びながら、グァズに向けて全力の体当たり。グァズの身体《からだ》が僅かにひるんだ隙に、俺の手を取ってそのまま飛び去る――――つもりだったのだろうが、うまくスピードを落としきれなかったのか、俺の手を取ったままごろごろと地面を転がって壁に激突した。

いってぇ！

「ステラレイン君空飛ぶの得意って言ってなかった!?　今君めちゃくちゃ減速できずに事故起こしたよね!?」

「う、うるさいですね！　あんな低空飛行で飛んだら少しくらいミスします！」

って……じゃ、なくて！

「なんでこっちに帰ってきてるんだ！　逃げろって言ったろ！」

はあ、仕方ねえ。これじゃあまだ死ねねえ。せめてこの子を逃がさないと。

「俺が何とか、あいつを止める。だから――」

「嫌です！」

「ああ、わかったなら――うん？」

この子今なんて言った？

「嫌です？」

「はい、嫌です。逃げません」

俺が思わず振り返ると、セレナはじっと俺を見つめていた。ふざけているわけではないのは目を見ればわかった。

「いや、ステラレイン君、相手は魔王軍の元幹部で」

「死ねば、満足なんですか。それで本当に先生は満たされるんですか？」

――なにを、言ってるんだ。

「先生は、自分を何も残せない人だと言いました。死に損なったんだと。でも、私はそれが違うことを知っています」

だって、とセレナは胸に手を添えて、ふ、と頬を緩めた。いつもの気を張っている彼女からは、想像もつかないような、優しい笑顔。

「だって、私の命を救ったのは貴方《あなた》なんですよ、先生」

それ、は。

「自分が生きていていいのかって気持ち、私にもわかります。ずっと、ずっと私もそれに悩んできました。でも、先生が言ってくれた、私はここにいていいって。いつか自分のやりたいことを見つけられるって」

それは魔竜《ドラゴン》と戦った日、俺が彼女にかけた言葉だった。彼女はそれを思い返すように語る。

「なら、先生だって、いつか本当にやりたいことを見つけられるはずです。ここにいて、いいはずです」

「俺が、ここに……？」

「はい。私と同じ、先生なら」

光を見た気がした。それはセレナの目に宿る強い想《おも》いだった。

セレナ・ステラレインという少女の「貴方は生きていていい」という『意志』の光だった。

「私が、先生の『証《あかし》』になります。いつか誰よりも強くなって、アドレー・ウルという騎士がいた『証』に」

――ずっと、自分は何も残せないと思っていた。

騎士はもう絶滅して、守れるものなんてないと思っていた。

でももし、この子がいつか強くなってその存在を証明した時に、俺の何かが、この子と共に残るのだろうか。

そんなことが、あっていいのだろうか。

「だから、生きてください先生！　貴方のためじゃなくて、私のためにっ！」

そうして、セレナは俺に手を差し出した。

――ああ、本当に、この子は。

「ふ、くくっ」

「せ、先生……？」

「は、ははは っ！　ははははははっ！」

「な、なんで笑うんですか！」

「いや、だって、私のために、と来たか」

よりにもよってそんなこと言うか？　この子、時々びっくりするくらい大胆になるな。

いや、世間知らずなのか？

まあ、でもどちらにしろ……うん。自分のためじゃなくて、彼女のために、か。

それなら、悪くない。

俺は差し出されたセレナの手を取った。柔らかい、でも確かな努力の跡を感じる手だった。

「いいよ。なら俺は君のために生きよう。いつか、君が俺のいた『証』を証明してくれるその日まで」

図らずも、あの日、俺がセレナの「先生」となることを約束した時と逆の形だった。

「遺言は、かわせたかな」

グヴズがゆったりと俺たちに向かって歩み寄る。セレナが来てもなお、態度が変わらないのは余裕か、それともセレナを脅威とみなしていないのか。

俺はつないだ手を引っぱってセレナを立ち上がらせると、軽く肩を回す。大丈夫、まだ動ける。

「何はともあれ――――まずはこいつを倒さないとな。そうでなければ、未来は語れないよ、ステラレイン君」

「――はい！　先生！」

俺がセレナの名を呼び、彼女は強く頷《うなず》き俺の隣に並んだ。

「……キハ」

　すると、グァズは俺たちのその姿の何が面白かったのか、笑みを溢《こぼ》した。

「まさか、儂《わし》に勝つ気か？　貴様のレグレイズは効かなかったというのに？　いったいどうやって？」

「どうやって、だと？」

　フッ、馬鹿なことを聞くんだな、グァズ。俺はセレナに目を合わせて、頷いた。

　セレナの目が「先生を信じています」と言っていた。この信頼は裏切れないな。ならば、選べるのはこれだな。

「そんなもの——これから考えるんだよ！　とりあえず逃げるぞステラレイン君！」

「はい！……はい？」

　言うが早いか俺はセレナを担ぐと、グァズの目の前から逃げ出した。グァズは間髪容《い》れずに黒紫の霧を出してくるが、柱の陰に隠れつつ攻撃をかわしていく。

「先生、なんで逃げてるんですか⁉」

「普通に今は打つ手がないから！　俺のマギアないし、そもそも俺のレグレイズじゃあいつを倒せない！」

「そ、それってかなり詰みなのでは⁉」

「まあ、落ち着けってマジで手がないわけじゃないから」

「なら早くそれをやりましょうよ！　私にできることがあるならやりますから！」

　悲鳴にも似た声を上げるセレナに、俺はニヤッと笑って見せる。

「ほ〜お、言ったな？」

「な、なんですかその顔……」

いいや？　ただ覚悟はあるようで何よりって感じだな。

「ならまず、あいつはレグレイズで倒す」

「はい……？　え、でもそれは」

「皆まで言うな。わかってるわかってる、俺のレグレイズでは、あいつは死なない」

だが、死なないだけだ。

「あいつは無限に近い回復能力と、特殊な肉体でレグレイズを防いでるだけだ。効いていないわけでも、無敵なわけでもない」

無限に近い回復能力がある敵なんぞ、ほとんど無敵に近いが——まあそれはいい。肝心なのは付け入る隙は残ってるってことだ。

「あいつの肉体は、俺のレグレイズのエネルギーを無駄に消費させて、威力を弱体化させるのに特化してるんだ。だが逆に言えば、弱体化しても関係ないエネルギーを叩《たた》き込むことができたなら、あいつは倒せるってことだ」

「え、それって……なんというか……」

……脳筋って言いたそうだな。

「馬鹿っぽい解決策ですね……」

「俺の想像よりも、ひどい感想出してきたなステラレイン君！」

なんてこと言いやがる。

「あのな、その馬鹿っぽい解決策を、君がやるんだぞ」

「は、はい!?」

俺に担がれている状態のセレナが目を見開いた。

「む、無理です！　私に先生の『魔導錬成《まどうれんせい》』が使えるはずないです！」

「違う。言ったろ、俺のレグレイズは『魔導錬成《まどうれんせい》』じゃない。『術理開廷《アクセス》』だ、似ているようで違う」

魔導錬成《まどうれんせい》。それは『他者にまねできない固有の魔法』という才能の証明。クラリッサのラスピネルラなんかその筆頭だ。

対して、俺の使う『術理開廷《アクセス》』はその反対なのだ。

「『術理開廷《アクセス》』――――はるか昔に使われた古代の『魔導錬成《まどうれんせい》』を現代に再現し、誰にでも使える形に再定義したものだ」

簡単に言うと、古代の魔法の再利用ってところだ。それが俺の使う夜拓く白絶《レグレイズ》の正体に当たる。

俺は、自分で固有の魔法を生み出せるほど天才ではなかった。所詮、空も飛べなかった落ちこぼれだ。俺にできたのは、ひたすらに術式を読み込み、覚えて、再現することだけだった。

故に、錬成ではなく、開廷。過去の魔法を、先人の研鑽《けんさん》を、現代に蘇《よみがえ》らせる。

「だから俺の夜拓く白絶《レグレイズ》は、理論上はステラレイン君にも使えるんだ」

「使えるって……実際に先生以外に使えた人はいたんですか？」

「え、まあ、い、いたよ……？」

「それ絶対にいなかった時の反応じゃないですか！」

うるさいな。でも今はこれだけが、グァズに勝つための唯一の可能性なんだよ。

それにおそらく、セレナがレグレイズを使いこなせれば、確実に俺よりも強い。

……俺の予想が正しければ、だが。

俺の言葉にセレナが瞳を揺らしながら、きゅっと胸元を握った。

「私が、先生の魔法を……」

セレナの中に様々な色が浮かんだ。困惑、不安、恐怖。揺れる瞳は、俺のことをゆらゆらと見つめた。

「先生は、私ができると思いますか？」

「ああ。できるさ」

なにせ、君は。

「魔王の右腕の妹で、俺の生徒だ。意志さえあるなら、君は誰よりも強い魔導師になれる」

「――あ」

彼女は目を丸くして、小さく笑った。

「貴方は、そういう風に肯定してくれるんですね、兄のことを」

そして再び顔を上げた時には、その目には強い意志の光が宿っていた。

「わかりました。やります。やり方を教えてください」

良い顔だ。ちょっと魔導師らしくなったな。

うっし、じゃあ戦いの算段をつけるとするか。グァズに勝てるか、大博打《おおばくち》だ。

◆

「ほお、逃げ回るのはやめたのか、夜叉《やしゃ》」

セレナと作戦を立てた後、俺は一人グァズの前に出た。

「ああ、逃げるのは性に合わないからな」

「ほお、では死ぬ決意をしたか？」

「いいや？　お前を倒すことにした」

「キハ！　キハハ！　キハハハハハハ！」

グァズは今日何度目かの笑い声を上げて、その手の先を俺へと向けた。

「笑える冗談も、何度も聞けば飽きるぞ、夜叉！」

そして生み出した黒紫の霧を集束し、さっきよりさらに大きく、貫通力を上げた黒紫の大槍《おおやり》へと変えていく。当たれば即死は免れない、その一撃。

柱の陰で、セレナが俺のことを一瞬心配そうに見ていたが、目だけで自分のことに集中しろと言って、俺もまた手をグァズに向けた。

「――『術理開廷《アクセス》』」

キィン、と俺の足元に白色の魔法陣が展開する。俺の魔力を汲《く》み上げて、刻まれた術式が駆動する。

「ハ！　性懲りもなく盾の魔法か！　今の貴様に使えるものではあるまい！」

グァズが両手を構えて、発動した魔法の名前を口にする。

「黒紫双死・貫《アビスレイ・スパダ》」

大槍が射出される。その槍を遮るものはなく、さらにはグァズの使う結界のエネルギーを使って漆黒の光線と変わる。まるで、人の命をむさぼる黒い竜。

これを防げなければ、俺とセレナの策もご破算だ。

ここで、この魔法を止めて、彼女を守らなければ。

「わかってる。俺は守れなかった。俺の盾で守れるものなんて、何もなかった」

勇者を守れなかった。俺を先輩と慕ってくれる子だったのに。

相棒を守れなかった。誰よりも信頼していたのに、突然その関係は終わってしまった。

でも、俺は――。

「それでも今、俺はこの子を守りたいんだよッ！　こんな俺を先生と慕う、この子だけはッ！」

手を伸ばし、グッと何かを握りつぶすように、叫んだ。

「――夜廻る暁光《アイギウス》ッ！」

トリガーワード共に、俺の眼前に巨大な盾が現れた。その色は昼と夜の狭間《はざま》、誰もが目を奪われる暁の色。

そして、グァズの魔法と俺の魔法がぶつかり――俺の盾が、ほんの僅かにグァズの魔法を受け止めた。けれど、それも一瞬のこと。あっという間に俺の盾にはひびが入り、びしびしと音を立てて砕けていく。

でも、それでいい。俺たちが欲しかったのは、この一瞬だ。ただ、グァズの正面が――奴《やつ》の胸のコアを狙える位置が取れれば、それでいい！

「ステラレイン君ッ！」

「はい！」

セレナが走り、俺の傍《そば》までやってくる。その手にするのは彼女のマギア『リーンスピカ』。今までの彼女では使いこなせなかった、彼女専用の杖《つえ》。

彼女は流星の尾のような杖を構え、唱える。

「――術理開廷《アクセス》」

彼女の言葉と魔法陣がつながる。俺が組み上げ、彼女に託した術式が起動し、セレナの杖の先に巨大な金の魔法陣が出現する。

レグレイズは本来剣に纏《まと》わせることで発動する魔法だが、今回はそれを『砲撃魔法』に組み合わせる。するとそれは、全てを断つ斬撃ではなく、全てを貫く光線へと変わる。

普通ならそんなことできない。レグレイズは一度使うだけでも大量の魔力を消費する。十年近くこの魔法を使ってる俺ですら、連発するのは結構きつい。ましてやそれを光線にして、継続的に使用し続けるなど、学生が耐えられる負担ではない。

だけど、セレナの体質が俺の睨《にら》んだ通りなら——彼女だけは、それができる。

「——う、く、ううっ」

展開した金の魔法陣が吸い上げていく魔力の負担にセレナが苦悶《くもん》の声を漏らす。出現した直後ははっきりとしていた魔法陣が、ちかちかと明滅をはじめ、魔力の構成が解けそうになる。

「意志を強く持て！　なんのために魔導師を志したのか思い出せ！　キミが戦う理由を心に灯《とも》せ！」

片手で今にも砕けそうな盾を維持しながら、もう一つの手でセレナの手を握り、壊れそうな魔法の維持の補助をする。俺はいくらか魔力を流して、魔法の崩壊までの時間稼ぎをするが、中々魔法陣は安定しない。

そのせいか、ついに盾が耐えきれず一部ばき、と砕け、そのグァズの槍の一部がセレナに向かった。

ダメだ、俺じゃ届かない。

空いてる手がない、あの子を守る手段が俺にはもう——。

「――セレナッ！」

反射的に名を呼んだ。なんでそう呼んでしまったのかなんてわからない。ただ口をついて彼女の名前が出ていた。

瞬間、どくん、と何かが鳴動した。

「そうだ、私はセレナ。セレナ・ステラレイン」

何かではない。鳴動したのは魔力。本来人の目に見えることのない、大気に存在する魔力素《マナ》。

それが、何かの『意志』に従うかのように動き始める。はじめはゆっくりと、だが次第に嵐の如《ごと》く吹き荒《すさ》び、金の魔法陣へと集束されていく。

「居ていい場所がなかったから、誰かの居場所を守りたいって思った。だから、誰からも認められる魔導師を目指した――この都市の『生徒会長』！」

セレナの金髪が、光を宿して輝き始める。まるで、いかな夜でも輝く星々のように。集束された魔力素《マナ》が、セレナ自身の魔力と混じり合い、強く輝いていく。

「やっぱり、ステラレイン君、キミは……」

意志の光が、光の色に染め上げられる。

「先生！」

セレナが俺を呼ぶ。つないだ手から、彼女の熱を感じる。俺は、力強く頷《うなず》いた。

「ああ！　行くぞ、ステラレイン君！」

キィン、とセレナの魔法陣が輝き、それと同時に俺の盾が完全に砕け散る。盾の破片が散る中で、リーンスピカの切っ先が黒紫の大槍と、その向こうにいるグァズへと向けられる。

「夜拓く白絶《レグレイズ》――」「改」

俺が唱え、セレナが引き継いだ。そして、彼女のものとなったその魔法の名を呼んだ。

「――夜照らす月星《クラウソラス》！」

セレナの集めた魔力が光と変わる。初めは細く、次に光線へ、そして一条の流星となり、グァズに殺到する。

「――はあああああっ」

「――キハ」

ズ、と二人の魔法が間で弾《はじ》け、拮抗《きっこう》する。

黒紫の大槍と、金に輝く一条の流星。どちらも魔法の威力は一級品。それ故に、決着がつかない。二つの魔法は凄《すさ》まじい衝撃を伴いながら、互角の競り合いを見せる。

……いや、互角じゃない。僅かにグァズの魔法がこちらを押している。

「――人にしては、よくやったよ貴様らは。だが、所詮は人の身だ！　魔力を扱う技量なら、儂《わし》ら魔族に敵《かな》うはずがあるまいて！」

そうだ、奴にはユフィールの作った結界から引き出す、無尽蔵に近いエネルギーがある。セレナもよくやっているが、技量の差が出始めている。

くそ、ここまで来たのに、勝てねえのか、俺たちは。

「キハ！　キハハハハ！　良いぞ！　良い顔だ夜叉！　ようやく負けを認めるか！　その愚かな命に！　自らの、人間という存在の無力さと無価値さに！」

高らかにグァズが嗤《わら》い――けれど、そこにかつん、と一つの足音が響いた。

「いいや、ボクはそう思わないかなぁ」

歌うように紡がれる澄んだ声。この戦場の中にあってもよく聞こえ、その存在を主張するかのような透き通る音。

……ったく、ようやく来てくれたのか。気づくのが遅いんだよ、ほんとに。

「貴様――ユフィール・ゼインッ！」

「やあやあ、久しぶりだねド・グァズ」

グァズが今までで一番の怒りと、いらだちを込めた怒号を出した。

その視線の先にいるのはこの結界を作ったエルフ。

この数年で人類の魔法技術を一気に押し上げた、古き賢者ユフィール・ゼインが、ようやく姿を現した。

ユフィはグァズと、魔法を使うセレナと、彼女を支える俺に順番に目を向けると、目を細めた。

「ボクが気づかない間に、随分好き勝手やってくれたみたいだね。本当はボクが手を下したいところだけど――」

そう言って、ユフィがふいっと虚空で手を振ると、今までグァズに力を送り続けていた禍々《まがまが》しい結界が掻《か》き消えた。

「ふふ、せっかくいい勝負をしているみたいだ。ボクなんかの小賢《こざか》しい結界の力に頼らず、正々堂々力比べをできるようにしてあげようじゃないか。なあに、礼は不要だよ」

「ユフィール・ゼインッ！　貴様ぁぁぁぁアアアッ！」

「おいおい、声がデカいよ爺《じい》さん」

小馬鹿にするようにユフィは鼻を鳴らすと、のんびりと階段に座る。

「というか、『灰の魔王』が君よりも先に僕を魔王軍に誘ったことを恨むのは勝手だけど、そのボクに勝つためにボクの魔法を利用するとか、恥ずかしくないの、オマエ？」

「黙れ！　この、ただエルフに生まれたというだけで上位存在を気取る女風情が、儂を下に見るなァァァァッ！」

「おやおや年寄りの嫉妬は醜いよ」

ユフィはひょこっと肩をすくめて、今度は俺に、そしてセレナに目を向けた。

「さ、押し切ってあげな、セレナ。今の君なら、できるだろ？」

セレナが俺を見た。俺は杖から手を放して、彼女の背中をぽんと軽く押した。

俺の目を見て彼女は小さく頷いて、再び杖を握り直す。

「価値があるかは、私たちが自分で決めます！　自分の『意志』で！　自分の、行きたい『未来』を！」

星の光が輝きを増す。金糸の髪と、魔力の光。全てが重なるように光は強く、そして黒紫の槍《やり》を貫いていく。

「だから、これで絶望《よる》は、終わりですッ！」

セレナの魔法が黒紫の槍もグァズもまとめて貫いた。そして、あたりを静けさが支配する。

きらきらと金色の魔力の粒子が散る中、少女はこちらを振り向いた。

「先生、私、やりました」

そう言って彼女はほころぶように微笑《ほほえ》み、そのまま倒れこみそうになる。

「おっと」

危ない危ない。なんとか受け止められたな。とりあえずお疲れ――って、あれ。

「ね、寝てる……嘘《うそ》だろ……」

なんか俺が受け止めた時にはすやすやと寝息を立てていた。戦いが終わったばかりなのに、大胆と言うか、抜けているというか……。

まあ、まともに魔法を使ったのは初めてなんだろうし、疲れて寝ちゃうのも仕方ないか。

「……お疲れ様、ステラレイン君」

じゃあ近くの柱に寄りかからせて、と。よし、これでいいな。

「ユフィ、ステラレイン君を見といてくれ」

近くで座っていたユフィに声をかけると、俺は肩を回して身体《からだ》の調子を確かめる。まだものを捜す。


動けそうだ。

「うん？　アドレーはどこに？」

「後片付けだよ。子どもが散らかした後は大人がやるもんって決まってるだろ」

軽く伸びをして、俺はセレナのクラウソラスが吹き飛ばした瓦礫《がれき》を退《の》けつつ、目当てのものを捜す。

「よお、気分悪そうだな、グァズ」

「……夜叉《やしゃ》」

壁をぶち抜いた先にグァズは転がっていた。しかしだいぶ重傷で、ローブはほとんど消し飛び、体内にあるコアも砕けかけている。すでに瀕死《ひんし》状態だ。

でもまだ生きている。ここで逃がしてしまえば、こいつはまた似たようなことを企《たくら》んで、俺たちを襲いに来るに違いない。

だからこいつは、ここで殺しておく必要がある。

「ハッピーエンドの、つもりか……？」

俺が手刀を作り、魔力を纏わせると荒い息のグァズが話しかけてきた。

「遺言なら聞いてやる。そうでないなら聞く気はないな」

「貴様も、なぜ儂があの少女を狙ったのか気づいたのだろう？」

……何かと思えば、んなことかよ。

「あの少女は、最後の魔法を使う時に、自分の魔力と、大気に満ちる魔力素《マナ》を同時に集束し、増幅した。まるで息をするかの如く。あんなこと、儂ら魔族にもできないことだ。ただ一人を除いて、な」

にい、とグァズが苦し気に、でも愉《たの》しむように歯を見せる。

「あの少女は、魔王陛下と同じ権能を持っている。この数百年で、唯一魔族を平定し頂点に立った『灰の魔王』陛下と同じ力をな」

――私の死を望むか、夜叉よ。

――私の死は死にあらず。身体があれば、同じ『権能』を持つものがいれば、私はきっと蘇《よみがえ》る。

――『魔王《わたし》』を求める誰かがいる限り、永遠に。

「陛下は死んでなどいない！　肉体が滅びただけだ！　貴様らの得た勝利など、束の間《つかのま》の平穏だ！」

手に魔力を流し、グァズのコアへと狙いを定める。

「あの少女は狙われ続けるぞ、その力を、その身体を。貴様に守り続けられるのか、夜叉よ」

「――当たり前だ。あいつと、俺はそう約束したからな」

斬、と地下室で白い光が弾けた。

エピローグ

いつもの屋上。遠くにあるシリウスの塔を見上げて、俺は煙草《たばこ》に火を点《つ》けた。

「終わってみれば事の真相を知るのは、俺たちだけ、か」

グァズの起こした一連の事件。多くの魔物が蔓延《はびこ》り、理事長が魔族に殺され体を乗っ取られるという大事件だったが、その危機を実際に体感したのは俺とセレナ、あとユフィくらい。

他の一般生徒や先生方にとっては、「なんかちょっと今日は魔法が使いにくいな？」くらいに収まったらしい。

「まあ、大事がなかったなら、それでよかったんだけどさ」

紫煙を肺に満たして、薄く吐く。じんわりと思考が緩む中で、空に溶けていく煙を眺める。

「先生、何度も言いますが校則違反ですよ」

「げ」

背後から聞こえた声に振り返ると、そこにはちょうど空から飛んできて屋上に着地したセレナがいた。

彼女は呆《あき》れたようように腰に手を当てて、「いいですか」と指を立てる。

「何度も言いますが先生は生徒の模範となるべき教師であり、なおかつ生徒会の顧問なんです。人一倍規則には厳格でいてもらわないと困ります」

「はい、すみません……」

セレナがジトーっと俺を睨《にら》む。

「私、先生と会ってからこの注意、結構何度もしてるんですけど、一向に直してくださいませんね。何か理由があるんですか？」

「んー、じゃ、ステラレイン君に叱られるのが好きだから、とかでどう？」

「先生」

「おっと」

セレナはなおさらジトーっと俺を睨んだが、やがて小さな嘆息を漏らした。

「今日だけ、目をつぶってあげなくもないです」

「え？」

「もう下校時刻ですし、ここにいるのは私だけなので。ご不満ですか？」

「え、ああ、いやそんなことはないよ。うん、ありがとう」

俺が礼を述べるとセレナは「いいえ」と短く答えて、屋上の手すりに背中を預けて寄りかかった。

柔らかく吹いた風がセレナの金糸の髪を揺らし、彼女はそれを片手で押さえる。絵になる仕草だった。

「あー、魔法、使えたね。これで長年の問題解決かな」

話しかけると、セレナはふるふると首を振る。

「いいえ、まだまだこれからです。私は今、ようやくスタートラインに立っただけですから」

まあ、確かにそれもそうか。

夜照《クラウン》らす月星《ソラス》を使って以来、セレナは前より魔法を使えるようになったけど、それでもまだ課題はたくさんある。使いこなすにはまだまだ鍛錬が必要だろう。

「ですから、これからもご指導ご鞭撻《べんたつ》のほどよろしくお願いします、先生」

「まあ、やれるだけはやるよ」

「随分自信ない答えですね」

「俺はだらしない困った大人らしいからな。常々生徒に言われて自信喪失してるんだ」

「ひどいこと言う生徒がいるんですね。驚きです」

「……わーお」

「なんですかその顔は」

「いや、ステラレイン君、冗談とか言うんだなって」

「私のことなんだと思ってるんですか。私も冗談の一つくらい言いますよ」

む、と僅かに頬を膨らませるセレナに、俺はごめんごめんと謝る。

なんだか、彼女は少し雰囲気が変わった。前はずっと気を張っていたようだったけど、ここ数日は肩の力が抜けたというか、年相応な面が見えた気がする。

今まで見えてなかっただけで、本当のセレナはこっちの方なのかもしれないな。

あの日、初めて出会った時に「嫌いです」と言った彼女はまだそこにいるのだろうか。

「なあステラレイン君は、今でも俺のことは嫌いか」

あの時のことを思い出したせいか、俺はついついそんなことを聞いてしまった。

セレナは一瞬、きょとんとしたように目を丸くして、やがて「そうですね」と頷《うなず》いた。

「ええ、嫌いです」

当たり前のように、さらりと答えた。

「ネクタイをちゃんと結ばないところも、シャツのしわが伸びていないところも、眼鏡があんまり似合っていないところも、『大人』でいようと気を張っているところも、私みたいな落ちこぼれを見捨てようとしないで諦めが悪くお節介なところも」

セレナが、両手を後ろで結んでくるりと回り、笑った。


「きらいです！　あなたなんかっ」


初めて見た、年相応の笑顔だった。

いつも気を張っていて「誰かに認められたい」と思っていた『生徒会長』ではなく、ただ一人の、普通の少女の笑顔だった。

――その笑顔に、想《おも》い起こす、グァズとの戦いの後、ユフィとした会話のことを。

「ずっと、不思議に思っていた」

「何がだい？」

セレナをおぶってシリウスの塔の地下から上る中で、傍《そば》にいたユフィに俺はこの一件で確信に変わった言葉を語った。

「なんでお前が後見人なのにステラレイン君があんなに魔法が使えないのか」

ユフィはエルフで、セレナは人間だ。確かにセレナにはあまり才能がないが、それでもユフィが今まで、彼女に魔法を教えていない理由がわからなかった。

でも、今ようやくわかった。

「ステラレイン君は『魔力掌握』――魔王の権能をその身に宿している。だから、俺がどうするか試していたな？」

さらり、と背中のセレナの髪がひと房垂れて俺の視界に入る。輝く金糸の髪――『灰の魔王』と同じ色の、埒外《らちがい》の魔力を宿した証《あかし》。

俺の質問に、ユフィはいつもの感情を窺《うかが》わせない笑みを浮かべた。

「はは、最初からボクは言っていたはずだよ。ボクはキミらしくいてほしかっただけだ、とね」

そしてぱちりと目配せを一つ。

……はあ、こいつが最初から、色々と考えてることを話してくれれば楽なんだけどな。

でもユフィはずっとこうだし、変わるのを求めるのは無理か。

「面倒な仕事押し付けやがって」

「でも結局キミはセレナを育てることにした。何故《なぜ》なのか、聞いてもいいかな？」

「べつに何でもいいだろ」

「いやあ、気になるじゃないか。セレナに非才だった自分を重ねたから？　大人として見過ごせなかった？　はたまたセレナの容姿が好みだったから？」

虹色の光が俺を覗《のぞ》き込む。まるで、俺の心の奥底まで見透かすかのように。

「キミが、親友だったグランツ・ステラレインを殺した張本人だから、かい？」

――――なんで、私はお前になれなかったんだろうな。

――――私の幸せは、今の世界にはなかった。その世界で、私は生きていけなかった。

――――だからお前が守ってくれ。妹の生きる、この世界を。

ひどく、懐かしい会話が聞こえた気がした。昔々の、忘れられないあいつの言葉。

「……それも、ある。だけど、俺はあの子に夢を見たんだ」

俺の魔法を使って魔族を倒し、彼女がこちらを振り向いた時、俺は彼女に夢を見た。絶滅した騎士の技術が、今を生きる『魔導師』の卵の役に立った。彼女が立ち上がり、戦う理由と力になれた。

「あの子を守れず。親友を殺した。そんな俺が生きていていいのかってずっと思ってた」

だけど、だけどさ。

「今は、ステラレイン君を強くするためなら、生きていたいって、ちょっと思えたんだ」

あの子の姿に希望を見た。

いつか『騎士』の技術を受け継いだ『魔導師』として、いいや、もっと新しい、彼女だけがなれる『何か』。そうしたものが生まれる希望を。

「あの子は俺を理由に立ってくれた。だから、俺も彼女を理由に、もう一度立ち上がりたいんだ」

それが、今の俺のやりたいことな気がするから。

「――――先生?」

ふと、俺を呼ぶ声で記憶の中から呼び戻される。隣にはぼんやりしていた俺を心配そうな顔で覗き込むセレナ。

俺が「なんでもないよ」と返すと、彼女は少し安心したように表情を緩ませた。それと同時に、遠くで鐘の音がなる。ひとつ、ふたつ、みっつ。響く音に、セレナは目を向けた。

遠い向こうに、シリウスの塔と、その最上階にある生徒会室が見える。

「そろそろ行きましょう、先生。説得しないといけない役員は四人もいるんですから」

「……そうだなぁ、ぼちぼち行くとするかぁ」

そうして、俺たちは生徒会室に向けて歩き出した。

いつか、俺にも戦えなくなる日がやってくるだろう。人であるから、死ぬ日だってやってくる。『騎士』という存在が完全に忘れられ、誰からも必要とされなくなる時がくる。

でも、俺の中の経験と技術と、その『意志』はきっとセレナの中に残る。絶滅しても、忘れられても、形を変えてきっと彼女の中に残るのだ。

そしてセレナは『騎士』と『魔導師』の強みを持った「新しい魔法使い」となる……気がする。

期待しすぎているのかもしれない。でも、それだけの希望を俺は彼女に見た。

だから、それまでこの子の「先生」でいよう。

いつか忘れられるとしても。いつか消え去るのだとしても。いつか戦えなくなるのだとしても。きっと、それは今じゃないはずだから。

「そう言えば、先生っていつまで私のこと『ステラレイン君』って呼ぶんですか？　この前、戦闘の時は『セレナ』って呼んでくれましたよね」

「あー、そうだっけ？　何、嫌なの？　今の呼び方」

「べ、べつに、そういうわけではありませんが……」

「ならいいだろ、ステラレイン君で」

「いやでも、ちょっと他人行儀というか……あ、ちょっと！　まだ話は終わってませんよ！」

――――ここは、魔導都市『アウロラ』。

魔物と戦うために『魔導師』を育てる、若き才能が集まる場所。

そんな場所で、俺を嫌う泣き虫の生徒会長を一人前に育てること。
飛べない魔法使いが、空飛ぶ魔法使いの卵を孵《かえ》してやること。
そして、この子と共にこの都市で、未来に向けて歩むこと。
それが俺の今日から、そして、これからの仕事だ。

あとがき

今まで生きてきた中で、お世話になった人が山ほど思い浮かぶっていうのは、幸運なことだったとしみじみ感じます。

なんだか人生最後に布団の上で考えそうなことを言ってしまいましたが、たぶんこれからも生きてます。

はじめまして。世嗣《よつぎ》と申します。

この度は拙作を手に取っていただき、ありがとうございます。

この作品は、私がウェブ上で連載していた作品を、加筆修正したものとなっております。

このお話には私の「好き」がいろいろ詰まっていますが、その最たるものが「大人の主人公」です。

良いですよね、頼りになる大人。私は特に若い人を導く大人っていうポジションに弱い。ニチアサだと司令官とか、おやっさんとかあのへんのポジが好きです。

主人公アドレーは、そういう若い子の背中を押す大人であってほしいなあという思いから、考え始めました。そして、そんなアドレーの生徒になるセレナは落ちこぼれで、結構めんどくさい子です。セレナ自身も自覚しているタイプのめんどくささです。

でも、そういうめんどくさい子でも、見捨てずに手を伸ばしてくれる、そんな大人が傍《そば》にいるといいなぁ、と私は思っています。

これは、今までに私がいろんな人に助けていただいたからなのかもしれません。

あとアドレーがまあまあ年上の男になっているのは私の好みです。それしかないです。

ここからは謝辞を。

まず、この小説を拾い上げてくださった担当編集様、並びに編集部の皆様。ご迷惑をおかけすることも多かったのですが、その度に丁寧に教えてくださり、ありがとうございました。

イラスト担当のＴＥＤＤＹ様。情報の羅列でしかなかったうちの子たちに素晴らしいイラストを描いていただいたこと、感謝してもし足りません。初めてイラストを拝見した時は素晴らしすぎてワ、ワァ……みたいな声しか出ませんでした。学園モノのくせに全員違う制服を着ている問題児たちに素晴らしいイラストをありがとうございます。

いつも支えてくれる周囲の方々。執筆をする中でも、また日常の生活の中でもみなさんの助けがあってここまでやってこれました。感謝してもし足りません。

ウェブ小説作家仲間の各位。みんなのおかげで、ここまでやってこれたとマジで思います。これからも楽しくお話しして、切磋琢磨《せっさたくま》できたらなと思います。

そして何より、この本をお買い上げいただいた読者の皆様、本当にありがとうございます。もしこのお話をお楽しみいただけたなら、それ以上の喜びはありません。

また、次の機会でお目にかかることができれば、幸いです。

作品のご感想、
ファンレターをお待ちしています

あて先

〒141-0031
東京都品川区西五反田 8-1-5 五反田光和ビル4階
ライトノベル編集部
「世嗣」先生係／「TEDDY」先生係

OVERLAP

絶滅騎士の魔導教室
1. 訳あり最強騎士と落ちこぼれ生徒会長

発　　行　2023 年 10 月 25 日　初版第一刷発行

著　　者　世嗣
発 行 者　永田勝治
発 行 所　株式会社オーバーラップ
〒141-0031　東京都品川区西五反田 8-1-5
校正・DTP　株式会社鷗来堂
印刷・製本　大日本印刷株式会社

Printed in Japan ISBN 978-4-8240-0628-8 C0193

オーバーラップ　カスタマーサポート
電話：03-6219-0850 ／受付時間 10:00～18:00（土日祝日をのぞく）

オーバーラップ文庫
反逆者として王国で処刑された
隠れ最強騎士
蘇った真の実力者は帝国ルートで英雄となる
［蘇った最強が、世界を激震させる！］
王国最強の騎士でありながら反逆者として処刑されたアルディアが目を覚ますと、そこは死ぬ前の世界だった……。二度目の人生と気づいたアルディアは、かつて敵だった皇女に恩を返すため祖国を裏切り、再び最強の騎士として全ての敵を打ち滅ぼしていく――!!
著 相模優斗　イラスト GreeN
シリーズ好評発売中!!

オーバーラップ文庫
異能学園の最強は平穏に潜む
～規格外の怪物、無能を演じ学園を影から支配する～
[その怪物——測定不能]
最先端技術により異能を生徒に与える選英学園。雨森悠人はクラスメイトから馬鹿にされる最弱の能力者であった。しかし、とある事情で真の実力を隠しているようで——？　無能を演じる怪物が学園を影から支配する暗躍ファンタジー、開幕!
著 藍澤 建　イラスト へいろー
シリーズ好評発売中!!

オーバーラップ文庫
そこには幻想は無く、伝説も無い。
灰《はい》と幻想《げんそう》のグリムガル
十文字青が描く「等身大」の
冒険譚がいま始まる！
ハルヒロは気がつくと暗闇の中にいた。周囲には名前くらいしか覚えていない男女。そして地上で待ち受けていたのは「まるでゲームのような」世界。生きるため、ハルヒロは同じ境遇の仲間たちとパーティを組み、この世界「グリムガル」への一歩を踏み出していく。その先に、何が待つのかも知らないまま……。
著 十文字 青 イラスト 白井鋭利
シリーズ好評発売中!!

オーバーラップ文庫
迷宮狂走曲
Maze Rave Adventurer
エロゲ世界なのにエロそっちのけでひたすら最強を目指すモブ転生者
A reincarnated person who is in the world of erotic games
but does not do anything sexual
and just aims to be the strongest adventurer.
[とりあえず最強目指すか]
伝説RPGエロゲの世界に転生したハルベルトは、前世のゲーム知識を生かし最強の冒険者を目指すことに！　超効率的なレベル上げでどんどん強くなるのだが、そのレベル上げ方法はエロゲ世界の住人からすると「とにかくヤバい」ようで？　エロゲ世界で「最強」だけを追い求める転生者の癖が強すぎる異世界転生譚、開幕。
著 宮迫宗一郎　イラスト 灯
シリーズ好評発売中!!